S0-AFZ-034

Nouvelles perspectives

Repères

Nouvelles perspectives

Repères

John Carter, Joe Jannetta,
Jacqueline Langlais
& Monique Moreton

Hodder & Stoughton

A MEMBER OF THE HODDER HEADLINE GROUP

Acknowledgements

The authors and publishers are grateful to the following for permission to reproduce photographs: Air France p80; Aérospatiale p99 (bottom); Agence France Presse p7 (bottom left); AKG pp7 (top left, centre right), 35, 39, (National Gallery of Scotland, Edinburgh), 52 (top, bottom right), 101; J. Allan Cash pp 49 (bottom), 70 (bottom right); Apple Macintosh p58 (top); Bridgeman Art Library: Musée Condé, Chantilly p43 (bottom centre), © Roger Viollet, Paris 128; Mairie, Ville d'Arras p18; S. Baldwin pp27 (centre), 96, 122 (bottom); British Film Institute p130; © Michael Busselle pp83, 104 (bottom right); Casio/Noblet p27 (bottom); Office de Tourisme, Digne les Bains p107 (top); Mairie de Douai © Luc Dessort p10 (top centre); Peter Downes pp 10 (bottom right), 12, 59 (bottom), 63, 69, 73, 75, 76, 102, 109 (top), 122 (top), 124, 148; Electrolux, Arthur Martin p32 (top); Greg Evans pp10 (bottom left), (John Degrange) 61, 70 (top left), 112; Mary Evans Picture Library p40; Explorer © P. Roy p60 (top); Forum des Sciences, photo Marc Pataut p16; France Telecom pp58 (centre), 99 (top); © Owen Franken pp59 (top), 70 (bottom right); French Picture Library pp10 (top right), 23, 121; C. Gilbert p37 (top right & left); Robert Harding: Explorer © J. Dupont p104 (bottom left), © D.M. Hughes p110; HORIZON/Andrew Besley p46; © David Martyn Hughes pp43 (bottom left & right), 44, 47, 48, 49 (top); © Candy Jannetta p3; Images Colour Library p107 (bottom); Lebrecht Collection/Zdenek Chrapek p7 (top right); Magnum: © Bruno Barbey p7 (bottom centre), © ABBAS p7 (bottom right), Herbert List p68, John H. Paul p99 (centre); Office du Tourisme et des Congrès de Nice pp104 (top right, bottom centre), 107 (centre), 108, 109 (bottom); Philips p32 (bottom); Office de Tourisme, Pont-Aven pp52 (left centre & bottom), 53; Popperfoto pp7 (top centre), (Graham Whitby) 38; Science Photo Library p100; Le Shuttle pp10 (top left), 25, 26, 27 (top); Frank Spooner Pictures/Gamma: E. Bouvet p30, © Nightingale p34, © Figaro p43 (top left), © Rouet Christophe p43 (top right), Gilles Bouquillon p92, E. Sander p98, 104 (top left), Gilles Bassignac p115; Colin Taylor p58 (bottom).

The authors and publishers are grateful to the following for permission to reproduce copyright material: © Bayard Presse-*Phosphore* 1996 (Catherine Stern) 'Il y a quinze ans ça n'existait pas' pp32, 58, 'Dans 15 ans' p99, 'Et vos 15 ans, c'est comment?' p127; Région Bretagne p49; © CLE International, *La France de Toujours*, collection 'Civilisation' p107; Office de Tourisme de Douai, Carillon ambulant p14; *Guide Dordogne Périgord*, © Editions Fanlac, 'Les étrangers à la rescousse' (Anne-Marie Simeon) p82; Flammarion: *Le blé en herbe* (Colette) pp68-9; Editions Bernard Grasset: *Le baiser au lépreux* (Mauriac) p101; *Guide Bleu Nord Pas-de-Calais*, Hachette Livre p52; Editions Harlequin: *La rencontre* p36; INSEE: Table p46; Jeune Afrique 1862 1996 'Le cigare du pharaon' p33; *Le Journal de Carrefour* pp67, 120-21, 128; *Le Journal des enfants nos. 500, 591, 601, 604, 615, 618*, 'L'instrument de musique mystérieux' p33, 'L'histoire de l'école' p35, 'Blagues' pp36, 64, 'Qui suis-je?' p125; Loisir accueil en Pas-de-Calais p23; Lycée Hôtelier du Touquet pp19-21; © Milan Presse-*Mikado* 142, 149: (Jeff Coplin) Incendies de Forêt p92, Canadair p93, La Force des Images p103; *Nice-Matin* 'Plages: la grande ouverture' p112; Comité Régional Nord Pas-de-Calais p18; *Pays Basque*, 'Les mystères de la pelote' p98; *Pays du Nord* p34; *Réponse à tout* 1993/4/6/7 pp4-5 (no73), 65 (top), 124, 125 ('Pourquoi la République s'appelle-t-elle Marianne?'), 126, 127 ('Anglicismes'); *Science & Vie Junior*, Philippe Testard-Vaillant pp59 (bottom)-61; SCOOP-Quo 1997 p66; Service de communication Eurotunnel 'Le Shuttle' pp25-7; Sud Ouest pp83-4; *Télérama* 1996 pp38, 115, 122; Editions de la Treille, *Le château de ma mère* (Pagnol) éd. Bernard de Fallois pp129-30; Voix du Nord pp16, 30.

British Library Cataloguing in Publication Data
A catalogue record for this title is available from The British Library

ISBN 0 340 67906 9

First published 1998

Impression number	10	9	8	7	6	5	4	3	2	1	
Year			2003	2002	2001	2000	1999	1998			

Copyright © 1998 John Carter, Joe Jannetta, Jacqueline Langlais, Monique Moreton

All rights reserved. No part of this publication may be reproduced or transmitted in any form or by any means, electronic or mechanical, including photocopy, recording, or any information storage and retrieval system, without permission in writing from the publisher or under licence from the Copyright Licensing Agency Limited. Further details of such licences (for reprographic reproduction) may be obtained from the Copyright Licensing Agency Limited, of 90 Tottenham Court Road, London W1P 9HE.

Concept design by Rosa Blanco
Design and layout by Claire Brodmann Book Designs, Burton-on-Trent
Typeset by Wearset, Boldon, Tyne and Wear.
Printed in Great Britain for Hodder & Stoughton Educational, a division of Hodder Headline Plc, 338 Euston Road, London NW1 3BH by Scotprint Ltd, Musselburgh, Scotland.

Table des matières

Premières rencontres

LES UNITÉS

Unité 1 Nord–Pas-de-Calais

Unité 2 Bretagne

Unité 3 Aquitaine

Unité 4 Provence

LES MAGAZINES

Introduction

To the teacher

Repères has been designed to help students achieve the standard required at AS level and in exams of a similar nature. It can also be used with its companion volume, *Découvertes*, as the first part of a two-year course at Advanced level. The accompanying Teacher's Book supplements and complements the Student's Book and contains full details of all the material available and guidance on how it can be used to best effect.

The work in this course is set, for the most part, in the context of four regions of France. It is not a geography course nor is it a socio-economic study of certain regions. It is a course to teach the French language and the authors are convinced that it is entirely appropriate to set the language within the reality of the country where it is spoken.

The Teacher's Book gives a full description of the contents of each chapter with guidance on how the material may be used. We have aimed for gradation of difficulty throughout the course and have selected and devised the material so that the students develop linguistic competence in all the skills, progressing to the use and manipulation of ever more sophisticated language structures. We have included a wide variety of tasks and exercises which reflect the changing trends in examination techniques at AS and A levels.

Coursework is an increasingly important feature of advanced language study. Many of the topics covered in *Repères* and *Découvertes* will provide a firm basis for further development.

While structuring the course round the regions of France, we have avoided presenting the country and its people in a touristy or folklorish guise. The France of the course is certainly one which treasures and preserves its rich heritage in all its forms, but it is primarily a country whose people are fully aware of their present and future in Europe and the wider world.

To the student

You will find that each unit is designed to facilitate clear and logical progress. The opening unit, *Premières rencontres*, serves as an introduction to France and French-speaking people and concentrates on the kind of language you need to get to know other people and to talk about yourself. The four main units are each related to a region and the vocabulary and structures are related to the topics dealt with in the unit. The accompanying magazine sections provide a wealth of varied reading texts.

Here are some guidelines to help you work through the units and magazines.

1 Preparing your work

- Read through the texts to obtain an overall comprehension of the content.

- Note the grammar used and taught in the units, especially in the *Rappels*, which contain the specific grammar you will use in some of the tasks.

- Listen to some of the recorded texts to practise your listening comprehension.

- Learn some of the basic vocabulary needed to talk and write about the topics.

- Look through the four *Contrôle* sections to anticipate what you will be tested on when you have completed the unit.

2 Managing the work

- **Reading.** For the main units, the exercises and tasks, especially those relating to work on vocabulary, will help you to understand the texts. Having worked through these tasks, re-read the passages to test your comprehension. Devise your own test to measure how much your comprehension has increased since the first reading. This will act as a diagnostic test. You should take remedial measures if you find that the increase is inadequate.

The texts in the magazine sections, some of which are recorded on cassette, are accompanied by activities which differ from the exercises in the main units, such as word games and quizzes. This material will enable you to develop your ability to read independently. Set yourself targets, such as one text per day. At the end of each four-month period, read through the texts you have covered to assess your progress with regard to fluency and vocabulary recognition.

- **Vocabulary.** If you *use* the vocabulary of the units and magazines, you should find that you retain most of it. Do not neglect learning by heart, especially related vocabulary. Note down in your own vocabulary books all the sentences and phrases containing the words you have used and learned. Make sure you learn the genders of nouns, for the accuracy of your writing and speaking will be badly affected if you use the wrong gender.

- **Listening.** Measure your progress in the understanding of spoken French. In the Teacher's Book we have included more exercises testing comprehension of the passages you will have listened to while going through the unit. You can also use the recorded material from the magazines to improve your listening skills. You will need to practise listening comprehension in your own time by listening to French-speaking radio and television if you want to develop these skills to a high level. Keep a vocabulary book for noting down new or unfamiliar words and phrases. Do not hesitate to check with your teacher or *assistant(e)* any vocabulary which you cannot locate.

- **Speaking.** There is a wide range of speaking tasks in the course. You will be able to practise these in your own time. You can also record presentations. Role-plays can be practised with a fellow student or your *assistant(e)*.

- **Writing and grammar.** You will be undertaking a range of tasks but there will be a gradation within each unit and throughout the course. You will be asked to write first in short paragraphs and only after you have become proficient in shorter pieces will you be expected to progress to writing essays.

The use of *Rappels* in the units should ensure that you produce accurate written work in those tasks to which the *Rappels* specifically relate. Before you venture into more complex structures, make sure you are confident in using the simpler forms.

The *Bilan grammatical* at the end of the book is fairly extensive and the examples are, for the most part, taken from the units.

- **Testing.** The *Contrôles* at the end of each unit do not cover everything. You could, together with a fellow student, devise your own tests, perhaps based on those in the course, or on any aspect of the work you have covered.

The magazines have their own type of testing and you will find this useful in gauging your assimilation of vocabulary as well as information.

- **Teacher's Book.** A full description of the course content will be found in the Teacher's Book itself. Photocopiable worksheets provide valuable supplementary tasks in all the skills as well as grammar. Decide what you need to practise further, locate it and obtain a copy of the relevant sheet.

Make full use of all the component parts of the course.

Bonne chance!

LA FRANCE

Premières rencontres

Profil d'une Française

Mireille est assistante de français dans une école secondaire en Angleterre. Elle se présente à sa classe. Ecoutez ce qu'elle dit puis complétez les exercices suivants.

1 Répondez aux questions.
  - (a) Quel âge a Mireille?
  - (b) Où habite-t-elle?
  - (c) Quelle était la profession de son père?
  - (d) Quelles matières étudie-t-elle à l'université?

2 Cochez celles des affirmations suivantes qui sont vraies.
  - (a) Elle a visité l'Angleterre une seule fois.
  - (b) Elle a visité le Pays de Galles.
  - (c) Elle a visité l'Irlande.
  - (d) Elle a visité l'Ecosse deux fois.

3 **Complétez ce tableau en choisissant dans la liste ci-dessous les adjectifs qui expriment le mieux l'opinion de Mireille.**

Les Anglais
Les Ecossais
Les Gallois

sympathiques accueillants froids sérieux agressifs énergiques stupides
intelligents distants hypocrites paresseux ouverts beaux

4 **Voici des photos de Mireille. Imaginez ce qu'on dit sur les photos 2–5.**

1 En vacances
juillet 1995:
St Malo

2 Copains et
copines du
Collège St
Exupéry:
Montauban,
1992

5 Ma cousine Angèle:
Toulouse 1996

3 Mes cousines et moi
(centre): Toulouse
1996

4 Mes grands-parents dans le
jardin de leur maison dans la
banlieue toulousaine: 1992

On se juge au premier coup d'œil

5 **Lisez et écoutez ce que Hakim et les trois autres personnes disent de lui puis notez dans le tableau les mots et expressions employés pour le décrire.**

Hakim sur lui-même	Isaac sur Hakim	Julia sur Hakim	Estelle sur Hakim

Exemple:			
sociable	*sympathique*	*gentil*	*extraverti*

Comment vous juge-t-on au premier coup d'œil? Etre ou … paraître, telle est la question!

HAKIM • ISAAC • JULIA • ESTELLE

Hakim, 21 ans, sans emploi

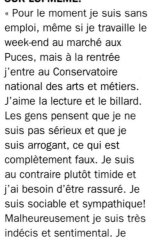

SUR LUI-MÊME:

« Pour le moment je suis sans emploi, même si je travaille le week-end au marché aux Puces, mais à la rentrée j'entre au Conservatoire national des arts et métiers. J'aime la lecture et le billard. Les gens pensent que je ne suis pas sérieux et que je suis arrogant, ce qui est complètement faux. Je suis au contraire plutôt timide et j'ai besoin d'être rassuré. Je suis sociable et sympathique! Malheureusement je suis très indécis et sentimental. Je dois avoir beaucoup d'autres défauts mais ils ne me viennent pas à l'esprit !»

Vu par Isaac

« Il a l'air très sympathique. Trente ans, informaticien, bon vivant aimant sortir dans les boîtes de nuit. Il est probablement marié. »

Vu par Estelle

« Il a l'allure de quelqu'un qui travaille dans les relations publiques, peut-être dans la presse. Il a peut-être 25 ou 30 ans, il est extraverti mais posé. Il fait attention à son apparence car il rencontre beaucoup de monde, surtout des femmes. Il doit être gourmand et curieux. »

Vu par Julia

«Lui, il est mignon, il doit plaire aux femmes ! Je le vois bien journaliste. Il a l'air décontracté, le genre de garçon à qui on a envie de parler. Il peut avoir 32 ans et à mon avis il a une petite amie. Il doit être fidèle, gentil et bon vivant.»

6 Avant de lire les autres textes, rédigez vos propres jugements sur Isaac, Julia et Estelle. Vous devrez employer des expressions telles que:

Il/Elle a l'air gentil.   Je lui donne 30 ans.
Elle/Il doit avoir 25 ans.   Il doit être intelligent.
Il/Elle peut avoir 28 ans.   Elle doit être intelligente.

 7 Présentez votre travail puis justifiez vos jugements.

Isaac, 28 ans, acteur

SUR LUI-MÊME
«Je suis célibataire et j'ai le sentiment d'être incompris. J'adore les femmes et elles me trouvent très gentil. Alors elles tombent amoureuses de moi très facilement. Malheureusement je suis souvent désagréable car j'ai mauvais caractère.»

Vu par Hakim
«Alors c'est un célibataire endurci. Il a environ vingt-cinq ans et travaille dans une boutique de vêtements : il a dû arrêter ses études de bonne heure. Il a le visage rond, c'est signe de bonhomie.»

Vu par Estelle
«A trente ans c'est quelqu'un qui a vécu. Il est mûr et travaille depuis longtemps. Il pourrait être prof de gym ; c'est un type ambitieux. Il est ouvert et dynamique. Il est bien dans sa peau et il est bavard donc les filles l'apprécient. Mais il est seul et n'en souffre pas.»

Vu par Julia
«Je lui donne trente ans. Il a un visage assez fermé, il doit être difficile à vivre. Je ne le vois pas dans une relation fixe. Il a l'air sportif.»

Julia, 19 ans, étudiante

JULIA SUR ELLE-MÊME
«En plus de mes études littéraires, je suis hôtesse d'accueil dans un McDonald's et pour une agence. J'ai un petit ami depuis deux ans. Je ris tout le temps, je suis assez ouverte. Je pratique l'équitation depuis dix ans.»

Vue par Isaac
«Elle a du succès avec les hommes et elle doit en faire souffrir plus d'un. Elle sait bien mentir. Elle doit avoir vingt-six ans et je la vois déjà dans un job dans la production de films. Elle doit aller au bureau à vélo et doit être sportive.»

Vue par Estelle
«Elle a peut-être vingt-cinq ou vingt-six ans mais elle est encore étudiante en sciences et elle est très studieuse. Elle est dynamique et doit vouloir faire beaucoup de choses. Elle a un petit ami, mais elle aime sortir et rencontrer des gens nouveaux même si elle est parfois un peu timide. En règle générale, c'est quelqu'un qui est bien dans sa peau.»

Vue par Hakim
«C'est une fille sérieuse et naturelle, ça se voit. Elle doit avoir vingt-cinq ans, être étudiante en journalisme ou en droit. Je la vois avec le même petit ami depuis longtemps mais elle ne veut ni se marier, ni avoir d'enfant pour le moment : sa carrière d'abord ! Je l'imagine soucieuse de son poids, toujours en train de faire un régime.»

Estelle, 26 ans, commerciale dans l'imprimerie

ESTELLE SUR ELLE-MÊME
«Je suis célibataire et, en attendant le prince charmant, je vis toujours chez mes parents ! Je suis souvent difficile à vivre mais je suis très gentille. Je suis fidèle en amitié. On m'a souvent dit que j'ai l'air d'être à l'aise et sûre de moi, presque intimidante, alors qu'en réalité je suis plutôt timide.»

Vue par Julia
«A mon avis elle doit être hôtesse. Elle a une trentaine d'années et a un petit air coquin. Elle doit bien aimer faire la fête avec ses copines.»

Vue par Hakim
«Elle a l'air très sympathique ; elle doit être attachée de presse. Elle a vingt-cinq ans, elle est fiancée ou peut-être mariée, et pense avoir un enfant bientôt. Elle est généreuse et drôle, je suis conquis !»

Vue par Isaac
«Vingt-huit ans, travaille dans la haute couture, un petit ami depuis un an ; elle plaît aux hommes ; autoritaire, elle sait ce qu'elle veut.»

Rappel

	Masc. sing.	Fém. sing.	Masc. pl.	Fém. pl.
Règle générale	grand petit	grande petite	grands petits	grandes petites
-eux	sérieux	sérieuse	sérieux	sérieuses
-é	marié	mariée	mariés	mariées
-e	drôle	drôle	drôles	drôles
-if	sportif	sportive	sportifs	sportives
-il	gentil	gentille	gentils	gentilles
-al	sentimental	sentimentale	sentimentaux	sentimentales
-et	coquet	coquette	coquets	coquettes

L'accord des adjectifs

Notez les adjectifs suivants:

beau, belle, beaux, belles
nouveau, nouvelle, nouveaux, nouvelles
fou, folle, fous, folles
vieux, vieille, vieux, vieilles

Notez les formes suivantes:

bel, fol, vieil *s'emploient devant un nom masculin singulier commençant par une voyelle ou un **h** muet.*

*Exemples: un **bel** homme, un **fol** espoir, un **vieil** ami*

Pratique

1 Dans les phrases ci-dessous, faites l'accord de l'adjectif comme il convient.
(a) Les Français sont (*intelligent*).
(b) Les Bretons sont (*accueillant*).
(c) Julia doit être (*marié*).
(d) Estelle doit être (*sportif*) et (*gentil*).
(e) Isaac a le visage (*rond*).
(f) Hakim a l'air (*sympathique*).
(g) Julia doit être (*gentil*).
(h) Estelle doit être (*sérieux*).

2 Décrivez deux des jeunes gens, une fille et un garçon, en employant les adjectifs suivants:

heureux　intelligent　modeste　extraverti
ouvert　mignon　aimable

8 Décrivez les personnes sur les photos 2, 3 et 4 à la page 3. Employez des expressions telles que:

Il/Elle a l'air . . .
Je lui donne . . . ans.

9 Vous avez rendez-vous avec quelqu'un qui ne vous a jamais vu(e). Au cours d'une conversation téléphonique avec cette personne, vous lui faites votre portrait.

Les professions

 10 Après avoir bien étudié les photos, rédigez une description de chacune de ces personnalités françaises. Vous devrez imaginer des détails de leur vie en vous basant sur les exercices précédents. Pour commencer, devinez leur profession à partir de cette liste.

écrivain et homme politique   vedette de cinéma   homme politique
romancier   femme politique   couturier   chef d'orchestre

Rappel

Comment indiquer la profession d'une personne

Elle/Il est vedette de cinéma.

ou

C'est une vedette de cinéma.

Pratique

 Présentez votre travail à la classe en justifiant vos commentaires.

Exemple: Il est probablement écrivain. Je lui donne 30–35 ans. Il a l'air intellectuel. Il doit être très sérieux. Il a un regard intense. C'est pourquoi je pense qu'il est introverti.

Que savez-vous de la France?

 11 Mireille parle de la carte de France. Elle vous indique où se trouvent quelques-unes des régions et des grandes villes.

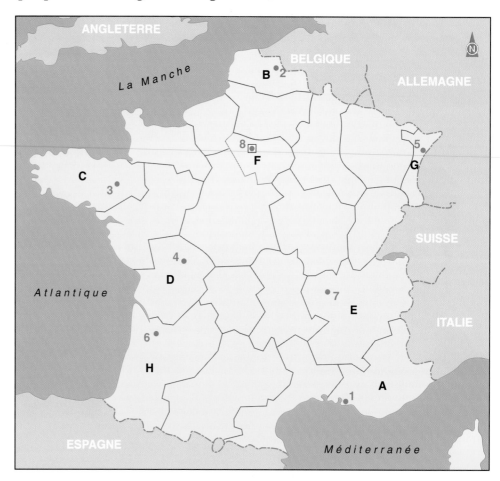

En vous référant à la carte, remplissez le tableau avec les chiffres et les lettres qui conviennent.

Région	Chiffre	Capitale régionale	Lettre
Provence		Paris	
Rhône-Alpes		Lille	
Nord–Pas-de-Calais		Poitiers	
Bretagne		Rennes	
Ile-de-France		Marseille	
Poitou-Charentes		Lyon	
Alsace		Strasbourg	
Aquitaine		Bordeaux	

12 **Maintenant un petit jeu-test! Connaissez-vous la bonne réponse?**

1 **Par rapport au Royaume-Uni, la superficie de la France est . . .**
(a) deux fois plus grande; (b) la même; (c) trois fois plus grande.

2 **La population de la France en 1997 était de . . .**
(a) 40 millions d'habitants; (b) 56 millions d'habitants;
(c) 58,5 millions d'habitants.

3 **Les Français ont choisi le 14 juillet comme fête nationale parce que c'est l'anniversaire . . .**
(a) du couronnement de Napoléon; (b) de l'exécution de Louis XVI;
(c) de la Prise de la Bastille.

4 **L'hymne national de la France est . . .**
(a) Le Chant du départ; (b) Le Chant des Partisans; (c) La Marseillaise.

5 **La plus grande unité urbaine française après Paris, c'est . . .**
(a) Marseille; (b) Lyon; (c) Lille.

6 **Savez-vous qui a été brûlé à Rouen par les Anglais?**
(a) La Reine Marie-Antoinette; (b) Jeanne d'Arc;
(c) L'Impératrice Joséphine.

7 **Qui a sa résidence officielle au Palais de l'Elysée à Paris?**
(a) Le Premier Ministre; (b) Le Président de la République;
(c) L'Ambassadeur de Grande-Bretagne en France.

8 **En France, l'école est obligatoire de . . .**
(a) 6 à 16 ans; (b) 5 à 14 ans; (c) 6 à 18 ans.

9 **Dijon est une ville célèbre pour sa fabrication de . . .**
(a) dentelles; (b) parfums; (c) moutarde.

10 **Le Mont-Blanc se trouve à la frontière entre la France et . . .**
(a) la Suisse; (b) l'Italie; (c) l'Allemagne.

11 **L'auteur du roman *Les Misérables*, c'est . . .**
(a) Victor Hugo; (b) Marcel Proust; (c) Jean-Jacques Rousseau.

12 **Le Festival de Cannes est un festival . . .**
(a) de jazz; (b) d'opéra; (c) de cinéma.

13 **Le sigle TGV signifie . . .**
(a) Taxe sur les Grands Vins; (b) Train à Grande Vitesse; (c) Transport
Général de Voyageurs.

14 **Parmi ces trois îles, laquelle est un département français?**
(a) La Sardaigne; (b) La Jamaïque; (c) La Martinique.

15 **Pasteur a découvert . . .**
(a) le vaccin contre la rage; (b) la pénicilline;
(c) le vaccin contre la tuberculose.

16 **Le camembert est un fromage qui vient de . . .**
(a) Bretagne; (b) Normandie; (c) Lorraine.

17 **Parmi ces trois fleuves, lequel se jette dans la Méditerranée?**
(a) Le Rhône; (b) La Loire; (c) La Garonne.

18 **Le compositeur de l'opéra *Carmen* est . . .**
(a) Frédéric Chopin; (b) Georges Bizet; (c) Maurice Ravel.

Ecoutez les bonnes réponses puis corrigez vos textes.

Nord-Pas-de-Calais

Le terminus du Shuttle à Calais

Beffroi et hôtel de ville, Douai

Canotage, Parc Audomarois

Bunkers datant de la Seconde Guerre Mondiale près de Dunkerque

Le port de Boulogne

Echange scolaire

Monique, professeur de français dans un collège du Kent, est en train d'organiser une visite dans le Nord–Pas-de-Calais. Elle va se renseigner auprès de l'Office du Tourisme de Calais.

Principaux centres d'intérêt

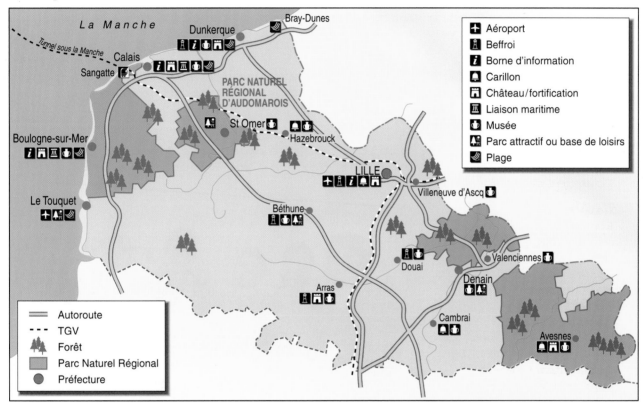

1 Ecoutez le dialogue entre Monique et l'employée de l'Office du Tourisme de Calais puis complétez les exercices suivants.

    1 **Regardez les cartes ci-dessus puis écrivez les villes et les sites mentionnés.**

    2 **Fournissez les renseignements donnés par l'employée sur chacun des sujets suivants.**
        (a) Les villes de Cambrai, Arras et Douai.
        (b) Les fermes-auberges.
        (c) Le Parc Régional Audomarois.
        (d) Les moyens de contacter l'Office du Tourisme.

    3 **Répondez aux questions suivantes.**
        (a) Les étudiants de Monique, que feront-ils au Lycée Hôtelier du Touquet?
        (b) Quelle est la capitale régionale du Nord–Pas-de-Calais?
        (c) Quel Parc régional près du Touquet l'employée recommande-t-elle?

Monique a donné à ses étudiants ces instructions concernant les préparatifs pour leur séjour dans la région Nord–Pas-de-Calais:

Carmel
Rédiger programme complet de la visite avec dates.

John et Andrew
Rédiger itinéraire, avec distances, horaire et description du parcours: villes, villages etc.

Michael
Contacter Offices du Tourisme à Calais, au Touquet, à Arras, à Douai et à Cambrai. Essayer d'obtenir dépliants, brochures et autres documents sur la région.

Anna
Téléphoner aux fermes-auberges aux environs de Cambrai – liste fournie. Trouver la meilleure, du point de vue qualité-prix.

Ian et Paul
Rédiger programme de visites et d'excursions pendant séjour au Touquet. L'envoyer par fax au Lycée Hôtelier du Touquet.

Laura
Envoyer fax au directeur du Lycée Hôtelier. Confirmer dates d'arrivée et de départ. Lui demander de recommander hébergement pas cher et bien situé. Lui demander aussi emploi du temps pendant stage.

2 **Quelles instructions Monique donne-t-elle?**
   (a) à Carmel?
   (b) à John et Andrew?
   (c) à Michael?
   Employez l'impératif.

Les formes de l'impératif des verbes en -er

Pour **tu**: **-e**

Exemple: Caroline, téléphone à l'Office du Tourisme de Boulogne!

Pour **vous**: **-ez**

Exemple: James et Anna, téléphonez à La Voix du Nord.

3 **Répondez à ces questions que les étudiants se posent sur les tâches que Monique leur a données.**

Exemple: Carmel, qu'est-ce que Monique t'a demandé de faire?
→ Elle m'a demandé de rédiger un programme complet de la visite.

Exemple: John et Andrew, qu'est-ce que Monique vous a demandé de faire?
→ Elle nous a demandé de rédiger un itinéraire.

(a) Michael, qu'est-ce que Monique t'a demandé de faire.
(b) Et toi, Anna?
(c) Et vous, Ian et Paul?
(d) Et toi, Laura?

Notez la construction suivante: **demander/dire à quelqu'un de faire quelque chose**	*Exemple:* *Carmel a demandé à Michael de contacter l'Office du Tourisme.* *Elle lui a dit de téléphoner.*

Programme de visite

Voici un extrait du programme de la visite mis au point et proposé au groupe par Carmel, étudiante de Monique.

Lundi 1ᵉʳ juin:

6 heures: Départ du collège.

Vers 7 heures: Arrivée à Folkestone.

8 30 heures: Départ du ferry.

10 heures: Arrivée à Calais. Petit déjeuner.

Vers 11 heures: En route pour Douai.

Vers 12 heures: Arrêt à Aire-sur-la-Lys. Visite du beffroi et déjeuner.

Vers 14 heures: Départ pour ferme-auberge.

Vers 15 15: Arrivée à la ferme-auberge au sud-est de Douai. Visite du Parc d'Aubigny-au-bac.

19 heures: Dîner.

20 heures: Temps libre.

Mardi 2 juin:

7 30 heures: Petit déjeuner.

9 heures: Visite guidée de Douai (beffroi et musées).

12 30 heures: Pique-nique au Parc régional 'Plaine de la Scarpe et de l'Escaut' suivie de visite du parc.

16 30 heures: Rentrée à la ferme suivie de deux heures d'étude avant le dîner.

4 **Carmel présente au groupe le programme qu'elle a prévu. Rédigez en quelques phrases ce qu'elle leur dit concernant le premier jour du voyage.**

Exemple: Nous partirons du collège à 6 heures du matin.

Le futur: comment le conjuguer

A l'infinitif du verbe ajoutez les terminaisons **-ai, -as, -a, -ons, -ez, -ont**.

Exemple:

*j'arriver**ai**, tu arriver**as**, il/elle/on arriver**a**, nous arriver**ons**, vous arriver**ez**, ils/elles arriver**ont***

Notez que dans le cas des infinitifs en **-re** on supprime le **e** final avant d'ajouter les terminaisons.

*Exemple: prendre → je **prendrai***

Quelques formes irrégulières:

avoir: j'**aurai**
être: je **serai**
pouvoir: **je pourrai**
voir: je **verrai**
envoyer: j'**enverrai**
venir: je **viendrai**
courir: je **courrai**
faire: je **ferai**

Carillon ambulant de Douai
Région Nord Pas-de-Calais

la musique dans la ville

5 Imaginez que vous faites partie du groupe. Rédigez des questions pour en savoir un peu plus. (Vous voulez savoir ce que vous ferez dans le parc, ce que vous verrez à Douai, ce que vous ferez pendant l'étude, ce que vous mangerez au dîner.)

Exemple: Que ferons-nous dans le parc?

ou

Que fera-t-on . . . ?

6 En vous basant sur les documents fournis par votre professeur, répondez aux questions de votre partenaire.

Voici une section de l'itinéraire rédigé par John et Andrew.

Heure		Route	Direction
09.00	Départ Arras sur la	N39	Nord-Ouest
09.10	A Dainville rester sur la	N39	Ouest
09.40	A Siracourt rester sur la	N39	Ouest
10.00	A Grigny rester sur la	N39	Ouest
10.15	A Marconne rester sur la	N39	Ouest
10.20	A Hesdin tourner à gauche sur la	D928	Sud
10.30	A Marconnelle tourner à droite sur la	N39	Ouest
10.40	Tourner à droite vers la	N1	Nord
10.45	A Attin tourner à gauche	N39	Ouest
10.50	A Etaples rester sur la	N39	Sud
11.00	Arrivée Le Touquet		

7 Lisez l'itinéraire et répondez aux questions suivantes.
  (a) Si on ne s'arrête pas en route, combien de temps durera le trajet Arras–Le Touquet?
  (b) A quelle heure partira-t-on d'Arras?
  (c) Quelle route empruntera-t-on pendant la plupart du trajet?
  (d) Si on s'arrête à Hesdin pendant une demi-heure, à quelle heure arrivera-t-on au Touquet?
  (e) Dans quelle direction ira-t-on pendant la plupart du trajet?
  (f) Emprunterons-nous uniquement des routes nationales?

8 En vous inspirant de l'itinéraire posez-vous, à tour de rôle, le même genre de questions.

9 Ecoutez ce dialogue téléphonique entre Michael et l'un des employés de l'Office du Tourisme de Douai, puis complétez les exercices suivants.
  (a) **Quels détails concernant son collège Michael donne-t-il à l'employé?**
  (b) **Cochez ceux des sujets suivants sur lesquels Michael a demandé des renseignements.**
    ● les villes du sud-est de la région
    ● les carillons
    ● les plages
    ● les sites archéologiques importants
    ● les sites des champs de bataille de la Première Guerre mondiale
    ● les promenades à la campagne
    ● les abbayes
  (c) **Quand il a donné son adresse, qu'est-ce que Michael a dû faire pour aider l'employé à comprendre?**

10 En vous inspirant du dialogue entre Michael et l'employé, jouez le rôle de Michael en suivant les instructions sur la fiche fournie par votre professeur. Votre professeur jouera le rôle de l'employé.

Exemple:

Instructions: Contacter par téléphone l'Office du Tourisme d'Arras. Renseignez-vous sur
  ● les musées: heures et jours d'ouverture, tarifs (réductions pour étudiants/groupes scolaires)
  ● un restaurant à prix modéré
  ● les promenades et excursions aux environs de la ville

11 Notez ce que dit l'employé (votre professeur) puis remplissez le tableau ci-dessous.

Renseignements	
Musées	....
	....
Restaurants	....
	....
Promenades	....
	....

Le tourisme

Vous trouverez ci-dessous une sélection des documents envoyés par l'Office du Tourisme de Douai.

12 Lisez cet article pris dans le journal local, *La Voix du Nord*, puis complétez les exercices ci-dessous.

Remettre la science en culture

Inauguré samedi, le Forum des sciences, baptisé Centre François-Mitterrand et situé au cœur de Villeneuve-d'Ascq, sera un lieu de plaisir de la découverte.
Danielle Mitterrand et Philippe Douste-Blazy, ministre de la Culture, inaugureront le Forum des sciences dans le centre-ville de Villeneuve-d'Ascq.

L'élément **phare** de cet équipement de 5 000 m² sur quatre niveaux sera sans conteste le planétarium. ''Le plus moderne au monde, lors de son ouverture'', affirme Bernard Maitte, un ancien physicien fondateur d'Alias. On a, en effet, choisi une technique développée par une société stéphanoise, alliant électronique et informatique. **L'ensemble** permet une grande souplesse : on pourra sans délai alterner une séance à l'intention des enfants, puis une session destinée à des étudiants en astronomie, par exemple ; on aura aussi la possibilité de présenter des spectacles du ciel pré-enregistrés, ou de proposer une observation **en direct**.

Les enfants dès 3 ans
Les enfants dès leur plus jeune âge (disons trois ans. . .), auront aussi leur place dans le centre : des animations leur seront proposées près des expositions ; un ''petit forum'' leur sera réservé où ils auront droit à ''une approche **sensorielle** et créative'' de la chose scientifique.
Quant à ceux qui les éduquent, comme pour tous ceux qui ont une responsabilité culturelle dans la région, ils trouveront là un centre de **documentation** multimédia, riche de 10 000 documents sur tous supports.

Le Forum propose dès à présent trois expositions :
Symétrie : sur ce thème s'interpénètrent mathématiques, sciences naturelles, peinture, musique, architecture.
Sonolithe : parcours interactif où le visiteur pourra découvrir son environnement sonore.
''Beau, jeune et pas gros'' : où l'on décrypte l'utilisation des arguments scientifiques dans la publicité des produits cosmétiques.

Le centre est ouvert du mardi au vendredi, de 8h45 à 19h, le samedi de 14h à 22h, le dimanche de 14h à 19h. Le centre est accessible aux handicapés.

On peut trouver des billets simples (25F pour les expositions, 35F pour le planétarium etc.) ou couplés. Il y a aussi des tarifs réduits pour groupes. Renseignements au 03 20 19 36 01.

1 **Etude du vocabulaire: trouvez les mots ou expressions, en caractères gras dans le texte, qui correspondent aux définitions suivantes.**
   ● Ensemble de renseignements, de documents
   ● Réunion de personnes, de choses qui forment un tout
   ● Tour élevée portant une puissante lumière pour guider les navires et les avions pendant la nuit
   ● Transmis sans enregistrement ni film intermédiaire
   ● Qui se rapporte, qui appartient aux sens

2 **Trouvez dans le premier paragraphe les renseignements suivants concernant Le Forum des sciences.**
- Sa position
- Ses dimensions
- Les deux possibilités d'observer le ciel au planétarium

3 **Répondez aux questions suivantes.**
- (a) A partir de quel âge les enfants pourront-ils profiter des possibilités qu'offre le centre?
- (b) Quelle approche sera adoptée pour encourager les enfants à comprendre les sciences?
- (c) De quelle manière les professeurs de la région pourront-ils utiliser le centre?

Données sur la région

13 **Etudiez ces données sur la région puis complétez les exercices qui suivent.**

ESPACE REGIONAL

12 414 km² soit 2,3% de l'espace national.

140 km de côtes et 350 km de frontière avec la Belgique.

Dans un rayon de 300 km²: 100 millions d'Européens.

POPULATION ACTIVE
(1er janvier 1993)

1 280 626 salariés et non salariés dont:

agriculture: 41 820 soit 3,26%

industrie: 389 155 soit 30,38%

tertiaire: 849 651 soit 66,34%

POPULATION

3 985 496 habitants (estimation 1994).

38% de personnes ayant moins de 25 ans (contre 36% pour la France).

Densité importante: 319 habitants/km² (2ème des régions françaises).

86% de la population est urbaine. Il y a 1 550 communes dans le Nord–Pas-de-Calais, dont 7 agglomérations de 100 000 habitants au moins et une métropole d'un million d'habitants.

(a) **Faites des phrases pour dire ce que signifient les chiffres suivants concernant**
1 *L'espace régional*
- 140 km
- 350 km
- 100 millions
2 *La population*
- 38%
- 319
- 86%
- 3,26%
- 30,38%

 (b) **Lisez vos phrases à un(e) camarade puis comparez-les avec les siennes.**

Symbole de la Flandre

Le Nord–Pas-de-Calais, côté beffrois

Les **beffrois**, qui dominent fièrement chaque ville du Nord–Pas-de-Calais, sont d'anciennes **tours de guet**. Il est dit que les **bourgmestres** les ont fait ériger pour pouvoir rivaliser avec les **flèches** des **clochers**, si visibles dans nos paysages des plaines, affirmant le **poids** du **pouvoir** civil dans la **cité**. . .

Beffrois et **carillons**, Grand'Place et musées, **façades** ornementées et sites industriels vous feront découvrir nos villes, leur histoire (souvent **mouvementée**), leurs traditions et leur architecture symbole de leur **appartenance** tantôt à la Flandre, tantôt à la France, voire au **royaume** d'Espagne. . .

Les villes du Nord–Pas-de-Calais savent aussi dire le temps présent, avec leurs transports **de pointe** (TGV, VAL. . .), leur centre de télécommunications avancées (à Roubaix), leurs palais des congrès et leurs complexes urbains et commerciaux "High Tech".

Le BEFFROI de Douai

14 **Lisez cet extrait d'un dépliant puis faites les exercices.**

(a) **A l'aide d'un dictionnaire monolingue, trouvez la définition qui correspond à chacun des mots ou expressions en caractères gras dans le texte puis prenez-en note.**

(b) **Lisez à un(e) camarade une des définitions que vous venez de noter et ce sera à lui/elle de deviner le mot ou expression correspondant.**

Exemple:

Etudiant(e) A: A quel mot ou expression correspond cette définition:
'Tour ou clocher où l'on sonnait l'alarme'?
Etudiant(e) B: C'est un beffroi.
Etudiant(e) A: C'est ça. A toi maintenant.

Et ainsi de suite.

(c) **Classez les mots et expressions de la liste suivante dans la colonne qui convient.**

tours de guet	sites industriels	transports de pointe
bourgmestre	musées	complexes urbains
clochers	carillons	centre de communications
paysages de plaines	appartenance à	avancées
musées	la Flandre	

Les façades d'Arras

La région historique	La région touristique	La région contemporaine

(d) **Justifiez votre classement à un(e) camarade.**

Le Lycée Hôtelier du Touquet

Le 5 juin, Laura a envoyé de Cambrai un fax au directeur du Lycée Hôtelier du Touquet pour confirmer la date de l'arrivée du groupe au Touquet.

La réponse du directeur, sous forme de fax, est arrivée le même jour.

FAX URGENT

Monsieur le directeur

Nous arriverons à notre hôtel au Touquet, l'Hôtel de la Plage, le dimanche 7 juin vers 15.00 heures. Pourriez-vous nous faire savoir par fax ou téléphone à quelle heure nous devrons nous présenter au lycée le matin du 8 juin? D'avance merci.

FAX

Chers amis

Très heureux d'avoir de vos nouvelles. Je passerai à votre hôtel dans la soirée du 7 juin vers 20.00 heures. Pas besoin d'accuser réception de ce fax si cela vous convient.

A bientôt.

Pendant leur stage au Lycée Hôtelier du Touquet, les étudiants anglais ont assisté à la plupart des cours de leurs camarades français qui se préparaient au Baccalauréat Technologique Hôtellerie (BTH), en première. Ils sont âgés de 17 à 18 ans. Voici ci-dessous une description de ce baccalauréat et les horaires hebdomadaires pour les trois années que durent les études.

BACCALAUREAT TECHNOLOGIQUE HOTELLERIE

Il permet d'accéder aux carrières de Caissier, Comptable, Cuisinier, Réceptionniste, Chef de réception, Chef de personnel, Sommelier, Chef de rang, Chef d'étages, Maître d'hôtel, Sous-directeur et Directeur de restaurant ou d'hôtel, Intendant, Assistant de direction, Gérant.

L'expérience et la qualification permettent l'accès aux échelons supérieurs de la hiérarchie professionnelle. Cet examen permet de poursuivre des études universitaires. Un élève obtenant son Baccalauréat Technologique Hôtellerie doit logiquement poursuivre sa scolarité par un cycle d'études menant au BTS (Brevet de Technicien Supérieur).

ETUDES

La durée des études est de trois ans. Ces études requièrent les mêmes capacités intellectuelles que l'enseignement long traditionnel.

STAGES PROFESSIONNELS

Les élèves de seconde Technologique et de première Technologique doivent effectuer 8 semaines de stage à la fin de chacune des deux années scolaires. Ces stages font partie intégrante de la scolarité. C'est le lycée et non le lycéen qui a la responsabilité de trouver et d'attribuer les stages.

BACCALAUREAT TECHNOLOGIQUE HOTELLERIE

HORAIRES HEBDOMADAIRES

Disciplines	Seconde	Première	Terminale
FRANÇAIS (a)	3 h¹+1 h² (TD)	3 h	-
PHILOSOPHIE	-	-	2 h
HISTOIRE-GEOGRAPHIE	3 h	-	-
HISTOIRE-GEOGRAPHIE TOURISTIQUE	-	2 h	2 h
LANGUE VIVANTE A (b)	2 h+1 h (TP)	2 h+1 h(TP)	2 h+1 h (TP)
LANGUE VIVANTE B (b)	2 h+1 h (TP)	2 h+1 h (TP)	2 h+1 h (TP)
MATHEMATIQUES (a)	2 h+1 h (TD)	2 h	2 h
ECONOMIE ET DROIT	2 h	-	-
ECONOMIE GENERALE ET TOURISTIQUE DROIT	-	2 h	2 h
GESTION HOTELIERE (a)	-	3 h+1 h (TD)	3 h+1 h (TD)
SCIENCES APPLIQUEES	2 h	2 h	3 h
TECHNOLOGIE ET METHODES CULINAIRES (c)	0,5 h+3 h (TP)	0,5 h+3,5 h (TP)	0,5 h+3,5 h (TP)
SERVICE ET COMMERCIALISATION (c)	0,5 h+3 h (TP)	0,5 h+3,5 h (TP)	0,5 h+3,5 h (TP)
TECHNIQUES D'ACCUEIL, D'HEBERGEMENT et COMMUNICATION PROFESSIONNELLE (c)	0 h+3 h (TP)	1 h+2 h (TP)	1 h+2 h (TP)
EDUCATION PHYSIQUE ET SPORTIVE	2 h	2 h	2 h
total hebdomadaire	32 h	34 h	34 h
ACTIVITES ET MANIFESTATIONS PROFESSIONNELLES	30 h année	30 h année	30 h année
PERIODE DE FORMATION EN ENTREPRISE	8 semaines	8 semaines	

Un des laboratoires de Biologie-Biochimie

Le Centre de Documentation et d'Information

Un des sites informatiques du Lycée

Le laboratoire de Langues vivantes

Salle de conférences

15 **Décrivez à un(e) voisin(e) ce que font les personnes sur les photos à la page 21. Voici pour vous aider une liste de verbes à l'infinitif.**

écrire	choisir	aider	bavarder
écouter	consulter un dictionnaire	apprendre	se préparer à un examen
prendre des notes	demander des renseignements	répondre	faire des révisions
regarder	taper sur le clavier	répéter	assister à un cours
finir	regarder l'écran	travailler	
lire	imprimer	expliquer	

La troisième personne du présent de l'indicatif

Verbes réguliers:

Au singulier	**Au pluriel**
écout**er**	
il/elle/on écoute	*ils/elles écoutent*
répond**re**	
il/elle/on répond	*ils/elles répondent*
fin**ir**	
il/elle/on finit	*ils/elles finissent*

Quelques verbes irréguliers:

aller:	va	vont
s'asseoir:	s'assied	s'asseyent
avoir:	a	ont
dire:	dit	disent
écrire:	écrit	écrivent
faire:	fait	font
lire:	lit	lisent
mettre:	met	mettent
prendre:	prend	prennent
suivre:	suit	suivent

16 **Décrivez la manière dont les élèves se comportent sur les photos à l'aide des mots ou expressions suivants.**

bien	patiemment	vite
attentivement	soigneusement	avec soin
lentement	mal	avec attention
sérieusement		

Exemple: Les élèves écoutent bien leurs professeurs.

Formation de quelques adverbes de manière

Formation régulière:

Ajouter **-ment** à la forme féminine des adjectifs qui se terminent par une consonne.

Exemple:

pur:	**pur**em**ent**
net:	**nett**em**ent**
soigneux:	**soigneus**em**ent**

Notez la formation des adverbes à partir des adjectifs qui se terminent en **-ant**, **-ent**:

constant:	**constamment**
prudent:	**prudemment**

17 **En vous inspirant des documents aux pages 19-21, écrivez trois paragraphes sur le BTH. Vous devrez inclure les renseignements suivants.**
- la durée des études
- les carrières auxquelles le BTH donne accès
- les stages que les élèves doivent effectuer
- les matières qu'ils doivent étudier
- les travaux pratiques qu'ils doivent effectuer
- à quoi l'expérience et la qualification donnent accès

 Présentez votre travail à la classe.

Le Parc Régional Audomarois

Le Parc Naturel Régional Audomarois est à environ 70 km du Touquet. Il y a des forêts, des marais et des lacs. On peut s'arrêter aux aires de pique-nique. On peut faire des randonnées pédestres, des promenades en bateau, à vélo.

Voici des extraits de la brochure des loisirs Accueil en Pas-de-Calais qui donnent une idée des nombreuses activités proposées aux visiteurs.

Découverte de l'environnement: Parc Naturel Régional Audomarois

Les sentiers nature:

■ Circuits autour de la grange-nature, lieu d'information et d'accueil sur la nature et l'environnement.

Présentation d'un très beau spectacle audiovisuel sur la vie dans le marais du Romelaere.

Rihout Clairmarais

Forêt domaniale.
Pêche sur l'étang, promenades en barque sur le marais audomarois.
■ Parcours en forêt.
Equitation : 15 km de pistes (chemins empierrés et routes goudronnées).
Aires de pique-nique, 55 tables-bancs.

Saint-Omer

Marais Audomarois
3400 ha. Pêche, barques, bateau-promenade.
Circuits touristiques (Watergangs)
■ Forêt domaniale de Clairmarais
Visite des marais en barque et en bateau:
■ Bateau-promenade: Mr Christian Beese, Capitaine de l'Emeraude
■ Bacove : (barque à fond plat, typique du marais audomarois) Marie-Cécile Flandrin.

Tournehem

Forêt domaniale.
Aires de stationnement.
50 aires de pique-nique, tables-bancs.
■ Randonnées pédestres.
■ Maison Bal
Parc d'attractions:
10 ha. dont 2 ha. de plan d'eau. Jeux pour enfants, golf miniature, barques, pédalos, bateaux tamponneurs pour adultes, piste de bi-cross.
Promenades pédestres et cyclistes.
Après-midi dansant tous les dimanches et jours fériés de mai à septembre.
6 attractions foraines permanentes.
Bar 500 personnes, cafétéria 700 à 800 personnes.

Ouvert de mars à début octobre, tous les jours de 10h30 à 19h.
Pêche en étang du 9 mars à fin octobre, pêche en rivière de fin mars à octobre.

18 A l'aide des extraits à la page 23 et des cartes de la région rédigez, d'après les instructions suivantes, le programme d'une journée passée par votre groupe au Parc Naturel Régional Audomarois.

- Rédiger horaire (départ du Touquet en minibus à 9h, rentrée pas plus tard que 19h30).
- Visites de plusieurs sites du Parc – commencer par présentation audiovisuelle.
- Variété d'activités – randonnée pédestre de rigueur.
- Pique-nique dans une aire de pique-nique.

 19 Présentez le programme à la classe, en décrivant les activités du groupe de la manière suivante:

Le matin, nous allons faire une promenade en bacove . . .

Rappel

A Comment exprimer une action future en employant 'aller' plus l'infinitif

Je vais faire de l'équitation.
Tu vas prendre le bateau.
Il/Elle/On va louer un vélo.
Nous allons arriver au lycée à 6 heures.
Vous allez jouer au golf.
Ils/Elles vont aller à la pêche.

B Comment former le passé composé à la première personne du singulier et du pluriel

1 Verbes réguliers conjugués avec 'avoir'

Passer:	j'ai pass**é**	nous avons pass**é**
Répondre:	j'ai répond**u**	nous avons répond**u**
Choisir:	j'ai chois**i**	nous avons chois**i**

Notez les participes passés des verbes suivants.

Boire:	j'ai **bu**	nous avons **bu**
Courir:	j'ai **couru**	nous avons **couru**
Etre:	j'ai **été**	nous avons **été**
Faire:	j'ai **fait**	nous avons **fait**

2 Verbes conjugués avec 'être'

aller	descendre
venir	naître
arriver	mourir
partir	devenir
entrer	rester
sortir	tomber
monter	retourner

Exemple: Aller: je suis allé(e), nous sommes allé(e)s

3 Le passé composé des verbes réfléchis

s'amuser

je me suis amusé(e)	nous nous sommes amusé(e)s
tu t'es amusé(e)	vous vous êtes amusé(e)(s)
il s'est amusé	ils se sont amusés
elle s'est amusée	elles se sont amusées

20 Ecrivez au passé une lettre à un(e) ami(e) français(e) dans laquelle vous décrivez la journée que vous avez passée au Parc Audomarois. Vous pourriez commencer de la manière suivante:

'La semaine dernière j'ai passé avec mes camarades de classe une journée très agréable au Parc Régional Audomarois en Nord–Pas-de-Calais. Nous avons fait un tas de choses!'

Le Shuttle

 ## Le Shuttle – partez quand vous voulez

Présentez-vous en voiture au péage et partez pour l'Angleterre ! C'est aussi simple que cela. Le Shuttle, c'est l'assurance d'une traversée rapide, confortable et agréable.

Sur l'autoroute A16, laissez-vous guider par les panneaux Tunnel sous la Manche, prenez la sortie 13 : vous arrivez directement au péage de Coquelles, près de Calais. Présentez votre billet – ou achetez-le directement au péage. Guidé par le personnel Le Shuttle, vous embarquez dans la prochaine navette. 35 minutes plus tard, vous êtes en Angleterre.

Pendant votre voyage, Radio Le Shuttle vous propose un programme musical et des informations en français sur 95.6 FM, ou en anglais sur 99.8 FM. Vous pouvez aussi vous dégourdir les jambes dans les compartiments clairs et spacieux.

Arrivés à Folkestone, vous rejoignez directement le réseau autoroutier britannique. A vous l'Angleterre avec ses traditions, sa fantaisie, son humour, son style inimitable : le dépaysement en version originale.

Comment

Le Shuttle transporte jusqu'à 180 véhicules – voitures, motos, autocars et camping cars – entre Coquelles – près de Calais – et Folkestone via le Tunnel sous la Manche. Chaque navette se compose de 28 compartiments.

Quand

Le Shuttle fonctionne 24h/24h, 365 jours par an, avec jusqu'à 4 départs par heure en heure de pointe. Le trajet dure 35 minutes de quai à quai (45 minutes la nuit).

Où

En France le terminal Le Shuttle est situé à la sortie 13 de l'autoroute A16. En Angleterre, sortie 11a sur l'autoroute M20.

L'enregistrement des billets ne prend que quelques minutes.

L'Angleterre, c'est facile . . .

■ *Sur l'autoroute A16, sortie 13*
Avec Le Shuttle, restez à l'écoute des dernières informations trafic sur 107.7 FM.

■ *Péage du terminal Le Shuttle*
Présentez-vous au péage au moins 25 minutes avant l'heure de départ prévue. Toutefois prévoyez suffisamment de temps si vous désirez effectuer des achats dans nos boutiques hors taxes du terminal passagers.

■ *Boutique hors taxes Le Shuttle*
Faites vos achats dans les magasins du terminal passagers et la boutique hors taxes Le Shuttle ou profitez des points de restauration rapide.

■ *Embarquement à bord de la navette Le Shuttle*
Détendez-vous pendant les quelques minutes de trajet.
■ *35 minutes de quai à quai*
Vous êtes arrivés en pleine forme, prêts à découvrir l'Angleterre !

■ *Débarquez*
Vous sortez directement sur l'Autoroute M20.

Comment acheter votre billet?

■ *directement au péage*
De jour comme de nuit, vous pouvez arriver au terminal Le Shuttle pour acheter votre billet et traverser immédiatement. Vous réglez en espèces (francs français ou livres sterling), par carte : American Express, Visa, Mastercard, Eurocard ou Diners Club, ou en Travellers Chèques en francs français ou en livres sterling. Les billets achetés en France et réglés par carte de crédit seront débités en francs français. Ceux achetés en Grande-Bretagne seront débités en livres sterling.

Réservez votre billet à l'avance et bénéficiez des dernières promotions. Pour les motos, camping-cars ou attelages voiture + caravane ou remorque, la réservation est obligatoire.

■ *par téléphone au 03 21 00 61 00 (7j/7)*

Auprès de notre Service Relations Clients en précisant :
■ *le type de véhicule*
■ *la durée de votre séjour*
■ *votre date de départ et de retour*
■ *les heures de départ et de retour souhaitées.*
En cas de paiement par carte de crédit, votre billet vous parviendra par voie postale si vous commandez votre billet au moins 7 jours avant la date de votre départ.

Si vous commandez votre billet moins de 7 jours avant la date de votre départ, le Service Relations Clients vous indiquera un numéro de référence que vous communiquerez quand vous passerez au péage Le Shuttle à Coquelles.

■ *par votre agence de voyages*
Votre agence de voyages la plus proche effectuera votre réservation grâce au système informatique Esterel.

■ *par Minitel 3615 Le Shuttle*
En composant 3615 LE SHUTTLE (1,29 F/mn).

21 Ecoutez et lisez bien cette publicité sur le Shuttle, destinée aux usagers français, puis rédigez 10 questions que vous poserez ensuite à vos camarades de classe pour tester leur connaissance du texte.

22 Complétez les phrases suivantes sans avoir recours au texte.
(a) Le péage de Coquelles est près de . . . .
(b) Il faut présenter votre . . . ou l'acheter au péage.
(c) Les compartiments du Shuttle sont . . . et . . . .
(d) Le Shuttle transporte . . . , . . . , . . . et . . . .
(e) Le Shuttle fonctionne . . . heures sur . . . heures . . . jours par an.
(f) Vous pouvez faire vos achats dans la boutique . . . Shuttle.
(g) Si vous réservez votre billet par téléphone, précisez le type de votre . . . et la . . . de votre . . . .
(h) Si vous payez par . . . de . . . , vous recevrez votre billet par voie postale si vous . . . votre billet au moins . . . jours avant la . . . de votre . . . .

23 Sans avoir recours au texte, faites des phrases à partir des expressions suivantes qui figurent dans le dépliant.

A16   la sortie 13   35 minutes   28 compartiments   4 départs   M20
25 minutes   7j/7

Exemple: Vous devez vous présenter au péage 25 minutes avant l'heure de votre départ.

Questionnaire

Répondez vite au questionnaire ci-dessous, retournez-le sous enveloppe affranchie à : Marketic Conseil – Grand Jeu Le Shuttle – 101/109, rue Jean Jaurès 92300 Levallois-Perret. Vous recevrez alors une documentation complète sur Le Shuttle, la navette d'Eurotunnel et vous participerez à notre grand tirage au sort.

Pour participer à l'événement, répondez vite au questionnaire et gagnez. . .

■ **Des week-ends avec Le Shuttle(Londres, Brighton, Oxford).**
Du 1ᵉʳ au 3ᵉᵐᵉ prix

■ **Des aller-retour avec Le Shuttle France/Grande-Bretagne.**
Du 4ᵉᵐᵉ au 10ᵉᵐᵉ prix

■ **Des calculatrices Le Shuttle.**
Du 11ᵉᵐᵉ au 100ᵉᵐᵉ prix

1) Vous êtes-vous déjà rendu en Grande-Bretagne ?
❏ oui, il y a 3 ans ou plus
❏ oui, il y a entre 1 et 2 ans
❏ oui, au cours des 12 derniers mois
❏ non, jamais

2) Avez-vous déjà utilisé votre voiture pour vous rendre en Grande-Bretagne ?
❏ oui   ❏ non

3) Envisagez-vous de vous rendre en Grande-Bretagne. . .?
❏ en 1999
❏ en l'en 2000 ou après
❏ non

3bis) Si oui, envisagez-vous de vous y rendre en voiture ?
❏ oui
❏ non

4) Pensez-vous utiliser Le Shuttle ?
❏ oui, sûrement
❏ oui, peut-être
❏ non

4bis) Pensez-vous l'utiliser dans le cadre :
❏ de votre profession
❏ de vos loisirs
❏ les deux

5) Comment pensez-vous vous procurer votre billet ?
❏ par agence de voyages
❏ directement au péage
❏ auprès du Service Relations Clients :
  par minitel ❏
  par téléphone ❏

6) Quels sont vos centres d'intérêt ou les activités que vous pratiquez régulièrement parmi les suivantes : Sport
Citez votre sport préféré :
....

Loisirs / Culture
❏ Tourisme
❏ Musées, Expositions
❏ Spectacles
❏ Musique
❏ Shopping
❏ Théâtre
❏ Gastronomie
❏ Cinéma
Autres, précisez : ....
....

7) Quel type de presse lisez-vous ?
❏ Presse quotidienne
❏ Magazines (Economie, Actualité)
❏ Presse Loisirs
❏ Presse féminine
Autres, précisez ....
....

8) Quelle est votre catégorie professionnelle ?
❏ cadre supérieur
❏ ouvrier/ière
❏ profession libérale
❏ employé(e)
❏ cadre moyen
❏ femme au foyer
❏ étudiant(e)
❏ retraité(e)
❏ autre

9) Dans quelle tranche d'âge vous situez-vous ?
❏ moins de 18 ans
❏ 18/24 ans
❏ 25/34 ans
❏ 35/44 ans
❏ 45/54 ans
❏ 55/64 ans
❏ plus de 65 ans

10) Avez-vous un ou plusieurs enfants à charge ?
❏ non   ❏ oui

❏ M.   ❏ Mme   ❏ Mlle
Nom : ....
Prénom : ....
Adresse : ....
....
Code Postal : ....
Ville : ....

Souhaitez-vous recevoir de l'information sur Le Shuttle?
❏ oui   ❏ non

24 Une voyageuse a rempli le questionnaire sur Le Shuttle à la page 27. Ecoutez les réponses qu'elle a données et notez-les.

 25 Posez les mêmes questions à votre voisin(e) puis notez ses réponses.

Grammaire

Comment poser des questions

1 *Questions auxquelles il faut répondre 'oui' ou 'non'*

(a) – Etes-vous marié(e)?
– Pratiquez-vous un sport?

Quand le sujet du verbe est un pronom personnel (par exemple **vous**), l'interrogation est signalée par l'inversion (le sujet se met après le verbe). Notez pourtant qu'en français parlé l'interrogation est souvent marquée par l'intonation seule (l'intonation montante):

– Vous êtes marié(e)? ↗
– Vous pratiquez un sport? ↗

(b) – Le Parc National **est-il** ouvert pendant l'hiver?
– Les plages de la région **sont-elles** propres?

Quand le sujet du verbe est un substantif (par exemple **le Parc**, **les plages**), le substantif se met en tête de la phrase et il est répété par un pronom personnel qui se place après le verbe.

2 *La réponse ne peut pas être 'oui' ou 'non'*
L'interrogation est signalée par l'emploi d'un interrogatif (par exemple **quel**, **pourquoi**, **combien**) avec inversion du sujet.

Que Que font les élèves pendant le week-end?
Que faites-vous pendant les vacances?

Quel Quelle est la distance entre Douai et Lille?
Quels sont les cours que vous aimez le plus?
Quelles langues étudient-ils?
Quel chemin allez-vous prendre?

Quand Quand arriverons-nous à Calais?
Quand le directeur passera-t-il à l'hôtel?

Pourquoi Pourquoi partirons-nous de si bonne heure?
Pourquoi les élèves font-ils un stage en été?

Combien Combien de temps mettrons-nous pour aller à Arras?
Combien de trains y a-t-il par jour?

Pratique

1 En employant le mot interrogatif entre parenthèses, écrivez les questions qu'on pourrait poser pour obtenir les réponses suivantes.
(a) Je suis britannique. *(Quelle)*
(b) J'habite à Londres. *(Où)*
(c) Je m'appelle Lucy. *(Quel)*
(d) Je suis arrivé(e) en France le 1er mai. *(Quand)*
(e) Je rentrerai en Angleterre le 30 mai. *(Quand)*
(f) Je vais visiter le Midi de la France. *(Que)*
(g) Je suis en vacances. *(Que)*
(h) Parce que j'ai acheté beaucoup de cadeaux pour mes amis français. *(Pourquoi)*

2 Ecrivez les questions que vous poseriez à un employé de l'Office du Tourisme de Calais pour obtenir les renseignements suivants.
(a) Le prix d'un aller et retour par le Shuttle pour un minibus et 12 passagers.
(b) Le nombre de trains pour Londres le matin.
(c) Les heures de leur départ.
(d) La durée du trajet Calais–Londres.

Contrôles ☑

Contrôle des connaissances

1 Ecrivez un court paragraphe sur chacun des sujets suivants.

(a) Les beffrois.

(b) Le Baccalauréat Technologique Hôtellerie.

(c) Le Parc Naturel Régional Audomarois.

(d) Le Shuttle.

2 Vous inspirant de la carte ci-dessous, rédigez un itinéraire et un programme de visites variées pour une famille anglaise souhaitant passer cinq jours dans la région. Ils auront leur voiture et prendront le Shuttle.

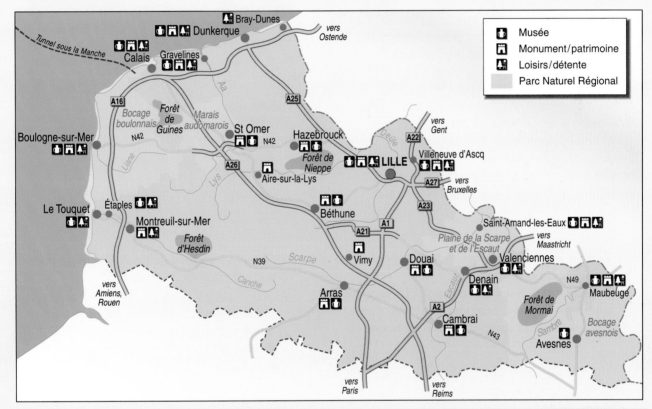

Contrôle de la grammaire

1 Ecrivez les phrases suivantes au futur en employant l'infinitif entre parenthèses.

(a) Selon la météo il (*faire*) beau demain.

(b) Le matin mon ami et moi (*aller*) à la plage.

(c) Nous (*se baigner*).

(d) Nous (*jouer*) aux boules.

(e) L'après-midi je (*aller*) en ville.

(f) Je (*acheter*) des souvenirs.

(g) Je (*envoyer*) des cartes postales.

(h) Le soir on (*danser*) sur la place.

2 Rédigez un paragraphe sur vos projets de vacances pour l'été prochain. Employez les verbes suivants.

| aller | passer | faire |
| prendre | visiter | finir |

3 C'est aujourd'hui le 2 juin. Lisez les prévisions météorologiques pour demain, le 3 juin, puis rédigez un paragraphe sur le temps qu'il fera.

Matinée grise et brumeuse. Après-midi temps agréable. Pas de pluie. Températures proches de la normale. Nuages. Un peu de vent sur l'ouest de la région. Température de la mer au Touquet: 16 degrés.

4 Lisez ce reportage sur une course de char à voile dont les verbes sont à l'infinitif puis complétez les exercices qui le suivent.

Enduro de Bray-Dunes
Les Marckois récompensés

Le club de char à voile de Marck, « Les Islandais » (s'emparer) des trois places du podium lors de l'Enduro de Bray-Dunes qui (avoir) lieu le week-end dernier.

En classe 3R, Bernard Morel (remporter) la course et (monter) sur la plus haute marche du podium. Son frère (confirmer) le succès familial en terminant en deuxième position juste devant Guy Perrin, troisième. François Mesnil, pour sa part, (arriver) en cinquième position.

Au classement par équipe, « Les Islandais » se sont vu remettre la coupe du meilleur résultat par club.

Cet Enduro (se dérouler) en deux manches d'une heure. La première, disputée samedi matin par un vent de 6 à 7 Beaufort, permettant des pointes à plus de 100 km/h.

Les participants (effectuer) seize tours du circuit, parcourant ainsi plus de 70 kilomètres.

Dimanche matin, pour la seconde manche, ils (s'élancer) avec un vent nettement moins violent sur un parcours plus technique.

Gros progrès

Au cours de cette épreuve, les Marckois (démontrer) leurs progrès face aux meilleurs pilotes régionaux et belges, venus de La Panne par la plage.

(a) Ecrivez au passé composé les infinitifs placés entre parenthèses.

(b) A l'aide de pronoms interrogatifs, formez des questions au passé composé pour tester un(e) camarade sur sa compréhension du texte.

Exemple: **Combien** de tours du circuit les participants ont-ils effectué?

5 Ecoutez cet extrait du commentaire d'une visite guidée de Dunkerque puis donnez les chiffres ou les dates nécessaires.

Evénement(s)	Chiffres ou dates
Base militaire et navale	de . . . à . . . .
Encerclée par les armées allemandes	en . . . et . . . de l'an . . . .
Nombre d'hommes embarqués vers l'Angleterre	. . . .
L'ennemi pénétra dans la ville	le . . . .
Les Américains investirent Dunkerque	en . . . . . .
Les Allemands capitulèrent	le . . . .
Pourcentage des maisons détruites	. . . . . .

Contrôle du vocabulaire

1 Complétez les mots du texte suivant.

> Au programme du Baccalauréat Technologique Hôtellerie il y a les matières suivantes:
>
> le fr..., la ph..., l'h...-g..., deux l...v..., les m..., l'éc... et dr..., les sc... app... et l'é... ph.... Il y a d'autres matières sur le plan professionnel comme la technologie et méthodes cul... et la gestion hôt.... Les él... de seconde Technologique et de première Technologique doivent effectuer 8 semaines de st... à la fin de chacune des années sc....

2 Choisissez dans la liste ci-dessous le mot ou l'expression qui correspond aux définitions suivantes.

trajet	relier	camion
la Manche	autocar	périodes de
trafic ferroviaire	transporter	pointe
terminus		embarquer

(a) Large bras de mer formé par l'Atlantique entre la France et l'Angleterre.
(b) Circulation des trains.
(c) Qui marque la fin d'un voyage.
(d) Faire communiquer.
(e) Porter d'un lieu dans un autre.
(f) Grand véhicule automobile de transport collectif.
(g) Gros véhicule automobile pour le transport des marchandises.
(h) Les moments de la journée où la circulation atteint son maximum.
(i) Monter dans un navire et, par extension, dans une voiture.
(j) Espace à parcourir pour aller d'un lieu à un autre.

3 Ecrivez des définitions pour les mots ou expressions qui suivent.

voiture	autoroute
caravane	motocyclette
débarquer	agence de voyages
tunnel	

magazine

IL Y A 15 ANS, ÇA N'EXISTAIT PAS ⁽¹⁾

Essayez une seconde d'imaginer votre vie quotidienne sans magnétoscope, télécommande, four à micro-ondes ou ordinateur. Impossible ? Et pourtant, ce monde n'est pas si loin, tout juste aux années 80.

Le four à micro-ondes : chacun sa cuisine

1967, le four à micro-ondes naît aux Etats-Unis. Mais les Gaulois se méfient de la cuisson sans feu et il faudra attendre les années 80 pour que les ondes radar à hautes fréquences remuent les molécules dans les cuisines françaises. Finalement, sous prétexte de nous faire gagner du temps pour décongeler le gigot et réchauffer le café, le micro-ondes a réussi, l'air de rien, à modifier l'équilibre des tâches devant les fourneaux...

Prenons la machine à remonter le temps. Imaginez-vous maintenant dans une cuisine comme elles existaient il y a quinze ou vingt ans. Maman épluche des pommes de terre tout en surveillant le pot-au-feu. Papa lit son journal. Les enfants se mettent à table sans enthousiasme : ils auraient préféré une pizza ! Aujourd'hui, Maman travaille, Papa aussi et les enfants se débrouillent souvent tout seuls. Ils attrapent une préparation de riz au curry dans le congélateur. Deux minutes au micro-ondes et c'est prêt !

En 1995, 70% des plats cuisinés individuels ont été achetés par des familles et non, comme on veut bien l'imaginer, par des célibataires. Conséquence : les rôles se sont redistribués dans la cuisine. Si un enfant de six ans est capable de se préparer à manger, pourquoi la femme qui travaille devrait-elle continuer d'assumer cette tâche ? Et si chacun peut se préparer son plat préféré sans effort, chacun peut aussi faire les courses et acquérir son indépendance – du moins culinaire. Le four à micro-ondes a introduit un peu de démocratie dans la cuisine, a accompagné la libération des femmes et l'autonomisation des adolescents.

La télécommande et le magnétoscope : la télé maîtrisée

Le poste de télévision trône au milieu du salon. Toute la famille a les yeux tournés vers l'écran. Il y a 20 ans à peine, la soirée télé s'apparentait à une veillée au coin du feu. On se réunissait devant le poste. Aujourd'hui, avec le magnétoscope (dans trois maisons sur cinq), la programmation des enregistrements permet à chaque téléspectateur de voir son émission à l'heure où il le désire. Désormais, plus besoin d'attendre minuit pour voir les films du Cinéma de Minuit. On peut enregistrer, mais aussi louer ou acheter des cassettes vidéos dont le prix a été divisé par quinze en quinze ans. Après le magnétoscope est venue l'outil suprême : la télécommande qui permet de tout contrôler et de zapper.

---

1. Complétez les phrases suivantes:
   a) En 1967, le four à micro-ondes...
   b) Dans les années 80, le four à micro-ondes...
   c) En 1995, 70% des plats cuisinés...

2. Qui faisait quoi il y a 15 ou 20 ans?
   a) Maman...   b) Papa...   c) Les enfants...
   Et aujourd'hui, qui fait quoi?

3. Etes-vous d'accord avec la dernière phrase du texte sur le four à micro-ondes? Justifiez votre réponse.

4. En vous inspirant de l'article, dessinez une publicité pour un four à micro-ondes ou pour un magnétoscope, destinée aux consommateurs d'il y a 15 ans. Vous devrez aussi inclure un slogan convenable.

LE CIGARE DU PHARAON

DES TRACES de cocaïne et de tabac – deux plaies typiques des sociétés modernes – ont été trouvées dans le corps de momies égyptiennes. L'information a mis en émoi les milieux scientifiques. Comment les pharaons ont-ils pu faire usage de substances qui ne seront découvertes dans le Nouveau Monde que trois mille ans plus tard ? Cela signifie-t-il que les anciens Egyptiens entretenaient des échanges commerciaux avec les Amériques longtemps avant que Christophe Colomb ait traversé l'Atlantique ?

■ Jusqu'à présent, on les savait friands de certaines drogues, telles la marijuana ou l'opium, mais on ignorait qu'ils fumaient le tabac et mâchaient la coca. Aujourd'hui, le doute n'est plus permis.

■ La découverte s'est produite un peu par hasard. Les scientifiques utilisent des techniques de plus en plus perfectionnées pour analyser les tissus des momies égyptiennes mises à leur disposition dans les musées européens. Les travaux de dépistage de la nicotine et de la cocaïne ont été entrepris par acquit de conscience : simple activité de routine... Les investigations ont commencé au musée de Munich. Svetla Balabanova, chimiste allemande, n'en croyait pas ses yeux après les premiers résultats. « Les premiers tests positifs ont été un choc. J'étais absolument persuadée que je m'étais trompée quelque part », dit-elle. Ces tests ont été répétés plusieurs fois, ils étaient toujours positifs...

■ Les recherches menées en Grande-Bretagne ont confirmé les travaux de Svetla Balabanova. Des chercheurs du laboratoire de toxicologie médicale de l'hôpital Saint-Thomas, à Londres, ont trouvé des traces de nicotine dans des prélèvements réalisés sur les momies du Manchester Museum. La nicotine a été trouvée dans les racines des cheveux, ce qui veut dire qu'elle a été métabolisée par l'organisme. On ne peut pas en déduire pour autant que les pharaons connaissaient le tabac en tant que tel. Les traces de drogue décelées peuvent, en effet, provenir d'autres plantes de l'ancienne Egypte, inconnues des botanistes modernes. La cocaïne, en revanche, provient uniquement du coca, arbuste originaire d'Amérique du Sud. La découverte de fragments de soie chinoise dans la chevelure de momies datant de trois mille ans avant J.-C. renforce en tout cas l'hypothèse selon laquelle les pharaons avaient des rapports commerciaux à une échelle beaucoup plus vaste qu'on ne le pensait jusque-là. ■ AZIZ KRICHEN

1. Selon l'article, qu'est-ce qui mène à croire que les anciens Egyptiens entretenaient des relations avec les Amériques longtemps avant que Christophe Colomb découvre le Nouveau Monde?

2. Selon l'article, lesquelles des affirmations sont vraies?

   1. On a trouvé des traces de cocaïne et de tabac dans le corps de momies égyptiennes. ☐

   2. Les anciens Egyptiens entretenaient des échanges commerciaux avec les Amériques il y a 3000 ans. ☐

   3. On savait déjà que les anciens Egyptiens avaient fait usage de marijuana et d'opium. ☐

   4. Des scientifiques ont trouvé des traces de nicotine dans les ongles des momies. ☐

   5. Les traces de cocaïne peuvent provenir de plantes de l'ancienne Egypte. ☐

L'instrument de musique mystérieux

CROC + ANODE ⇨
PHONO + AXES ⇨
CIL + ORNA ⇨
LATIN + CRETE ⇨
TEMPE + TROT ⇨
MOT + BORNE ⇨
TIGE + RUA ⇨
SNOB + AS ⇨
BATIR + ETE ⇨

Si tu mélanges les lettres des mots CAVE et CLIN, et que tu les disposes dans un ordre différent, tu peux former le nom d'un instrument de musique, le CLAVECIN.

De la même manière, trouve les noms de tous les instruments de musique que l'on peut former avec les lettres des mots placés à gauche, et tu pourras lire verticalement le nom de l'instrument de musique mystérieux.

Etes-vous de vrais gourmands?

Les pruneaux, c'est bien connu, sont la spécialité de la ville d'Agen. Certains produits ou certaines recettes de cuisine sont ainsi associés à la ville dont ils sont originaires.

Par exemple, savez-vous quelle est la spécialité de chacune de ces villes?

CAEN ▢ CAMBRAI ▢ CAVAILLON
DIJON ▢ LYON ▢ MONTELIMAR
STRASBOURG ▢ VIRE

Les saucisses de...
Le saucisson de...
La moutarde de...
Le nougat de...
L'andouille de...
Les tripes à la mode de...
Le melon de...
Les bêtises de...

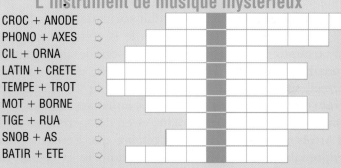

Solutions à la page 41

Vimy, territoire canadien

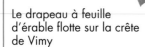

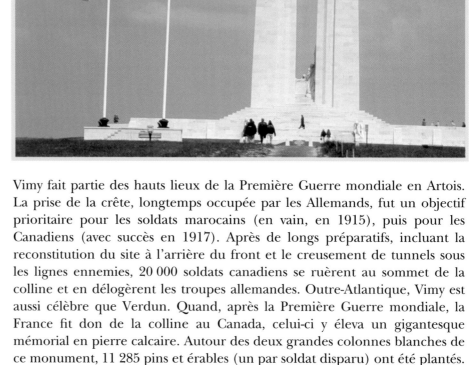

Le drapeau à feuille d'érable flotte sur la crête de Vimy

Il y a 80 ans, le 9 avril 1917, les troupes canadiennes prenaient d'assaut la crête de Vimy, un des sommets des monts d'Artois réputé imprenable. En souvenir de cet assaut héroïque, la France légua un territoire d'un kilomètre carré au peuple canadien. Depuis 1922, la colline de Vimy est une enclave canadienne dans le Pas-de-Calais.

Vimy fait partie des hauts lieux de la Première Guerre mondiale en Artois. La prise de la crête, longtemps occupée par les Allemands, fut un objectif prioritaire pour les soldats marocains (en vain, en 1915), puis pour les Canadiens (avec succès en 1917). Après de longs préparatifs, incluant la reconstitution du site à l'arrière du front et le creusement de tunnels sous les lignes ennemies, 20 000 soldats canadiens se ruèrent au sommet de la colline et en délogèrent les troupes allemandes. Outre-Atlantique, Vimy est aussi célèbre que Verdun. Quand, après la Première Guerre mondiale, la France fit don de la colline au Canada, celui-ci y éleva un gigantesque mémorial en pierre calcaire. Autour des deux grandes colonnes blanches de ce monument, 11 285 pins et érables (un par soldat disparu) ont été plantés. Du 1er avril au 15 novembre, des guides canadiens font visiter le site, dont le terrain est resté dans l'état où il se trouvait à la fin de la guerre en 1918. Les tranchées des deux camps et les trous creusés par les bombes sont toujours visibles, tout comme une partie des souterrains.

On peut accéder à ce site en empruntant le sentier de grande randonnée GR 127 qui mène au parc canadien. L'accès en est interdit aux VTT et aux chevaux et les visiteurs sont priés de ne pas s'écarter du parcours et de respecter le silence de ce lieu de mémoire.

Donnez les renseignements suivants:

1. la date de l'événement commémoré par le monument;
2. le nombre de soldats canadiens qui attaquèrent la position allemande;
3. description du mémorial;
4. ce que les visiteurs peuvent voir;
5. à qui l'accès est interdit;
6. ce que les visiteurs sont priés de faire et de ne pas faire.

Mots mêlés

Afin de retrouver notre phrase énigme, rayez dans la grille les mots du texte qui figurent dans la liste ci-dessus. Les mots à éliminer sont écrits horizontalement et verticalement. Quand vous aurez rayé tous ces mots, il vous restera la phrase énigme que vous cherchez.

allemand ● assaut ● avril ● carré ● celui ● colline ● colonnes ● don ● érables ● fin guides ● interdit ● kilomètre ● ligne ● marocain ● mémorial ● monts ● ne ● parc ● parcours pin ● pour ● quand ● qui ● respecter ● sentier ● soldat ● site ● terrain ● tranchées

A	A	V	R	I	L	R	E	S	P	E	C	T	E	R
L	C	I	N	T	E	R	D	I	T		F	I	N	T
L	O	D	O	N	M	O	N	T	S	V	I	M	Y	R
E	L	E	S	T	M	A	R	O	C	A	I	N		A
M	L	C	O	L	O	N	N	E	S	P	O	U	R	N
A	I	G	E	M	E	M	O	R	I	A	L	U	N	C
N	N	U	R	S		P	A	R	C	O	U	R	S	H
D	E	I	A	O	K	I	L	O	M	E	T	R	E	E
C	P	D	B	L	C	I	M	E	T	I	E	R	E	E
E	A	E	L	D	P	I	N	A	S	S	A	U	T	S
L	R	S	E	A	Q	C	A	N	A	D	I	E	N	S
U	C		S	T	U	T	E	R	R	A	I	N	Q	I
I	D	A	N	S	A	L	E	L	I	G	N	E	U	T
C	A	R	R	E	N	S	E	N	T	I	E	R	I	E
N	E	P	A	S	D	D	E		C	A	L	A	I	S

Réponse: Vimy est un cimetière canadien dans le Pas-de-Calais.

L'histoire de l'école

« Qui a eu cette idée folle, un jour d'inventer l'école ? C'est ce sacré Charlemagne... »

Charlemagne a dirigé la France de 768 à 814 et il a inventé l'école. A l'époque, les cours avaient lieu dans les monastères (des endroits où vivent les moines). Les « professeurs » étaient des savants (des gens qui ont de grandes connaissances). Mais peu d'enfants vont à l'école car cela coûte cher. Beaucoup plus tard, en 1850, l'école est divisée en

Charlemagne

deux : il y a l'école publique et l'école libre. L'école publique est gratuite pour les élèves. C'est l'Etat (le gouvernement) qui paye. L'école libre, elle, est payée par les parents d'élèves et on y enseigne la religion. (...) C'est la loi Falloux (du nom du monsieur qui a décidé cette loi). C'est aussi à ce moment-là que les villes de plus de 800 habitants sont obligées de créer des écoles pour les filles. Maintenant, les garçons et les filles sont mélangés dans les classes. Mais autrefois, il y avait des écoles de garçons et des écoles de filles.

Quelques années après (1879–1883), un certain Jules Ferry devient ministre de l'instruction publique (c'est comme notre ministre de l'Education nationale). Il décide que l'école sera obligatoire entre 6 et 13 ans, gratuite et laïque (qu'on n'y enseignera pas la religion). Aujourd'hui, l'école est obligatoire jusqu'à 16 ans.

1. Complétez les phrases suivantes avec un mot, nom ou date(s) choisi dans la liste ci-dessous.

1... a inventé l'école.

2... l'école est divisée en deux, il y a l'école publique et l'école libre.

3... Jules Ferry est ministre de l'instruction publique.

4... l'école est obligatoire jusqu'à 16 ans.

En 1850   Charlemagne Aujourd'hui   De 1879 à 1883

2. Posez-vous des questions sur l'histoire de l'école.

Exemple:

Où les cours avaient-ils lieu à l'époque de Charlemagne?

Problèmes
● Quel est le problème de la jeune fille?
● Quelle solution Mireille propose-t-elle?

J'ai des lunettes, Mireille. Pourtant les garçons n'aiment pas les filles avec des lunettes, et moi je ne m'aime pas avec des lunettes. Les lunettes donnent un air intellectuel : je ne suis pas intellectuelle ; pour faire du sport, c'est pas génial ; ça impose des contraintes vestimentaires ; c'est embêtant de les porter au bout du nez, etc. Tu me diras, mais porte donc des lentilles, ma fille ! Seulement, ça vaut cher, et l'entretien n'est pas facile ! Et toi, dis, est-ce que tu aimes les filles à lunettes?

FLORENCE

*Chère Florence,
Alors les lunettes. Les lunettes, c'est très bien. En ce qui me concerne, je dois en porter et cela ne me gêne pas du tout ! Pour moi ce n'est pas un problème. Les filles à lunettes, c'est joli. Très bien... J'ai remarqué qu'autour de moi, les filles qui portaient avant des lunettes portent aujourd'hui des lentilles. Donc cela ne doit pas être si cher que ça, ni si dur à entretenir. Alors si vraiment les lunettes te donnent des complexes, tu devrais te renseigner sur des lentilles.*

MIREILLE

La Rencontre

De nouveau, un silence pesant s'installa entre eux. Katherine but une gorgée de café tandis qu'il regardait droit devant lui. Il n'avait pas changé. C'était toujours la séduction même. Grand et mince, il mesurait un peu plus d'un mètre quatre-vingts, il avait de larges épaules et de longues jambes musclées. Tout son corps respirait vigueur et sensualité. Et ce teint bronzé... comment s'y prenait-il ? Alors qu'on était en plein hiver, Joe avait l'air de revenir d'une plage des Bermudes. Ses cheveux châtains, dont la frange épaisse retombait sur son front, étaient striés de mèches blanches. Ses yeux n'en paraissaient que plus bleus – ou peut-être était-ce la lumière dorée de la pièce qui le rendait aussi beau ? Il ne ressemblait à aucun des médecins que Katherine avait pu rencontrer jusqu'ici si l'on exceptait les candidats à une audition pour un rôle de docteur dans 'Promesses d'amour'.

Appuyé nonchalamment contre le bureau de réception, vêtu d'un jean délavé et d'une chemise à carreaux noirs et bleus, il respirait l'équilibre et la vitalité.

Bree Thomas, *Là-haut dans les montagnes*, éd. Harlequin, 1985

> Voici un extrait d'un roman d'amour d'un genre particulier puisqu'il est destiné à un public féminin. Il montre, à travers le regard de l'héroïne, l'homme dont elle va tomber amoureuse.

Rédigez le dialogue qui aurait pu suivre cet extrait. C'est l'héroïne qui rompt le silence.

BLAGUES

Marie bavarde avec sa copine :
– Tu te souviens, raconte Marie, l'année dernière, ma marraine m'avait fait un super cadeau pour mon anniversaire. Elle m'avait envoyé un billet de 500 FF.
– La chance que tu avais ! commente sa copine.
– Je lui avais envoyé une lettre de remerciements en disant : « Je ne trouve pas les mots pour te remercier ». Eh bien, cette année, elle m'a expédié un dictionnaire !
Sandra PECCENINI, 93250 Villemomble

Vincent et son père sont en pleine montagne.
Le père dit : « Tu vas voir. Il y a un écho extraordinaire. »
Alors il crie : « Ohé ! Ohé ! » Rien ne se passe. Il recommence :
« Ohé ! Ohé ! ». Encore rien. Alors Vincent dit :
« Tu pourrais peut-être dire : s'il vous plaît ? ».

Le patron pénètre dans le bureau de son comptable et constate : « Cela vous prend souvent ? Vous buvez du champagne pendant vos heures de travail ? »
Alors, l'employé répond : « Oui, patron, c'est pour fêter le dixième anniversaire de ma dernière augmentation ! ».
Alexandra MAYER-HOHDAHL 01220 Divonne-les-Bains

Santé

Les légumes sont bons pour la santé : crus et cuits

Rien de meilleur que les légumes pour la santé et pour la ligne ! En effet, les légumes contiennent beaucoup de vitamines et de sels minéraux.

Ils doivent être consommés le plus frais possible car ils perdent très vite leurs qualités. Malheureusement, de nos jours, beaucoup de légumes arrivent dans les supermarchés après 2 ou 3 jours de voyage. Par contre, les légumes en conserve ou surgelés gardent bien les vitamines parce qu'ils sont mis en boîtes ou congelés dans les quelques heures qui suivent la récolte.

Quelle sorte d'alimentation aurons-nous au 21ème siècle?

Il est conseillé de les manger crus, dans des salades par exemple. Si vous les préférez cuits, on recommande de les faire cuire à la vapeur pour ne pas détruire les vitamines et les sels minéraux. Une portion d'environ 200 grammes de légumes cuits à midi et le soir vous maintiendra en bonne santé.

De plus en plus, nous exigeons des aliments naturels mais nous voulons aussi profiter des bienfaits de la technologie. D'une part, nous recherchons des fruits et légumes garantis "naturels" mais d'autre part, nous souhaitons qu'ils aient l'air appétissants et qu'ils ne s'abîment pas. Or, pour obtenir ces produits "parfaits", les spécialistes de la recherche et de l'industrie agro-alimentaire doivent faire des expériences scientifiques et procéder à une sélection qui, en fait, n'a plus rien de naturel.

Dans le domaine de la cuisine, si nous apprécions toujours le goût "nature" et les recettes traditionnelles, nous profitons néanmoins des progrès technologiques en consommant de plus en plus de plats tout préparés, réchauffés au micro-ondes en quelques minutes.

Santé *Le soja*

Le soja est une graine extrêmement riche en protéines. Quels en sont les bienfaits ?

● d'abord anticholestérol. Selon des recherches scientifiques, le soja joue un rôle dans la prévention des cancers

● le soja pourrait être utilisé dans la mise au point des médicaments

● étant riche en protéines, en vitamines et en minéraux, le soja remplace la viande dans beaucoup de plats : raviolis, lasagnes, steaks ou saucisses végétales

Attention à ceux ou à celles qui ne mangent plus de viande ! L'alimentation végétarienne peut faire grossir. Les fromages, par exemple, sont parfois plus gras que la viande. Qu'est-ce qui peut remplacer un steak ?

80 g de lentilles

300 g de soja

400 g de fromage blanc

130 g de miettes de crabe

3 œufs

= steak 150 g

On vous propose ces menus végétariens :

● assiette végétarienne
● steak de soja
● fromage frais
● salade d'oranges

● soupe de poireaux
● tarte au fromage aux fines herbes
● lait de soja
● compote de fruits secs

1. Notez les bienfaits du soja.
   Exemple: anticholestérol.

2. Notez les plats où le soja remplacera la viande.
   Exemple: les raviolis.

Cinéma britannique

Ewan McGregor, le beau gosse
(*The Pillow Book, Petits Meurtres...*)

Le magazine *The Face* (dont il fait la couverture) le décrit ainsi : *« Il est heureux, charmant, il a du succès et de l'humour, il est fou amoureux. Vous ne le haïssez pas ? »* Ewan McGregor, 25 ans, est la nouvelle coqueluche du cinéma anglais. A Londres, il a actuellement quatre films à l'affiche ! A Hollywood, on lui fait un pont d'or. Avant le succès fracassant outre-Manche de *Petits Meurtres entre amis*, cet Ecossais mauvais élève avait quitté le lycée à 16 ans pour devenir acteur studieux dans une école de théâtre londonienne. *Trainspotting* a confirmé sa mise sur orbite.

On le retrouve en homme objet (bel homme et bel objet) dans *The Pillow Book*, de Peter Greenaway. Actuellement, il termine son cinquième film de l'année, *A life less ordinary*, comédie de Danny Boyle. Prochain rôle, après quelques mois de vacances : James Joyce, rien que ça.

Ewan McGregor

Interlude littéraire

Emile Zola : un grand écrivain du 19e siècle

Emile Zola par Manet

Né à Paris en 1840 d'un père italien et d'une mère bourguignonne, Emile Zola a passé son enfance à Aix-en-Provence. En 1847, la mort de son père entraîne de sérieuses difficultés financières pour la famille. Malgré tout, le jeune Emile fait ses études au collège d'Aix où il rencontre Paul Cézanne avec qui il restera ami. En 1858 il rejoint sa mère à Paris et essaie de finir ses études au Lycée Saint-Louis. Malheureux d'avoir dû quitter Aix, il a du mal à s'adapter à sa nouvelle vie, et échoue deux fois au baccalauréat. Tout en faisant de petits boulots il commence à écrire. En 1862 il entre chez Hachette : il y fait d'abord les paquets, puis finit par devenir chef de publicité. Il rencontre alors les écrivains de son temps et se lance dans le journalisme.

Il va s'intéresser de plus en plus à l'école naturaliste et au réalisme et se mettre à écrire des romans. Il entreprend d'écrire en une vaste fresque romanesque « l'histoire naturelle et sociale d'une famille sous le Second Empire » : *Les Rougon-Macquart*, dans laquelle il souligne l'influence de l'hérédité, des milieux et des circonstances sur la vie de ses personnages.

Il va connaître la gloire et s'engager dans la mêlée politique et sociale, ce qui lui vaudra des ennuis avec la justice et une période d'exil en Angleterre (1898–99). Il meurt d'une asphyxie accidentelle en 1902.

Germinal est l'un des plus célèbres romans de Zola, dans lequel il décrit l'histoire d'une grève dans les mines de charbon du nord. Il s'agit d'un jeune mécanicien au chômage, Etienne Lantier, qui a été embauché à la mine de Montsou.

 Voici un extrait du roman célèbre d'Emile Zola dans lequel Etienne Lantier descend au fond pour la première fois. Votre professeur vous donnera une liste de mots et expressions pour vous aider.

" Etienne se contenta de hocher la tête. Il se retrouvait devant le puits, au milieu de la vaste salle, balayée de courants d'air. Certes, il se croyait brave, et pourtant une émotion désagréable le serrait à la gorge, dans le tonnerre des berlines, les coups sourds des signaux. (...) Les cages montaient et descendaient avec leur glissement de bête de nuit, engouffraient toujours des hommes, que la gueule du trou semblait boire. C'était son tour maintenant, il avait très froid, il gardait un silence nerveux, qui faisait ricaner Zacharie et Levaque : car tous deux désapprouvaient l'embauchage de cet inconnu, Levaque surtout, blessé de n'avoir pas été consulté. Aussi Catherine fut-elle heureuse d'entendre son père expliquer les choses au jeune homme.

– Regardez, au-dessus de la cage, il y a un parachute, des crampons de fer qui s'enfoncent dans les guides, en cas de rupture. Ça fonctionne, oh ! pas toujours. . .

(...)

Mais il s'interrompit pour gronder, sans se permettre de trop hausser la voix :

– Qu'est-ce que nous fichons là, nom de Dieu ! Est-il permis de nous faire geler de la sorte !

Le porion Richomme, qui allait descendre lui aussi, sa lampe à feu libre fixée par un clou dans le cuir de sa barrette, l'entendit se plaindre.

▶▶

▶▶ – Méfie-toi, gare aux oreilles ! murmura-t-il paternellement, en vieux mineur resté bon pour les camarades. (...) Tiens ! Nous y sommes, embarque avec ton monde.

La cage, en effet, (...) les attendait (...). Maheu, Zacharie, Levaque, Catherine se glissèrent dans la berline du fond : et, comme ils devaient y tenir cinq, Etienne y entra à son tour ; mais les bonnes places étaient prises, il lui fallut se tasser près de la jeune fille, dont un coude lui labourait le ventre. Sa lampe l'embarrassait, on lui conseilla de l'accrocher à une boutonnière de sa veste. Il n'entendit pas, la garda à la main. L'embarquement continuait, dessus et dessous, un enfournement confus de bétail. On ne pouvait donc partir, que se passait-il ? Il lui semblait s'impatienter depuis de longues minutes. Enfin, une secousse l'ébranla et tout sombra, les objets autour de lui s'envolèrent ; tandis qu'il éprouvait un vertige anxieux de chute, qui lui tirait les entrailles. Cela dura tant qu'il fut au jour. (...) Puis, tombé dans le noir de la fosse, il resta étourdi, n'ayant plus la perception nette de ses sensations.

– Nous voilà partis, dit paisiblement Maheu.

Tous étaient à l'aise. Lui, par moments, se demandait s'il descendait ou s'il montait. Il y avait comme des immobilités, quand la cage filait droit, sans toucher aux guides. (...) Les lampes éclairaient mal le tassement des corps, à ses pieds. Seule la lampe à feu libre du porion, dans la berline voisine, brillait comme un phare.

– Celui-ci a quatre mètres de diamètre, continuait Maheu, pour l'instruire. Le cuvelage aurait bon besoin d'être refait, car l'eau filtre de tous côtés... Tenez ! nous arrivons au niveau, entendez-vous ? dit Maheu.

Etienne se demandait justement quel était ce bruit d'averse. Quelques grosses gouttes avaient d'abord sonné sur le toit de la cage, comme au début d'une ondée ; et, maintenant, la pluie augmentait, ruisselait, se changeait en un véritable déluge. Sans doute, la toiture était trouée, car un filet d'eau, coulant sur son épaule, le trempait jusqu'à la chair. Le froid devenait glacial, on enfonçait dans une humidité noire, lorsqu'on traversa un rapide éblouissement, la vision d'une caverne où des hommes s'agitaient, à la lueur d'un éclair. Déjà, on retombait au néant.

Maheu disait :

– C'est le premier accrochage. Nous sommes à trois cent vingt mètres... Regardez la vitesse. (...)

– Comme c'est profond ! murmura Etienne.

Cette chute devait durer depuis des heures. Il souffrait de la fausse position qu'il avait prise, n'osant bouger, torturé par le coude de Catherine. Elle ne prononçait pas un mot, il la sentait contre lui, qui le réchauffait. Lorsque la cage, enfin, s'arrêta au fond, à cinq cent cinquante-quatre mètres, il s'étonna d'apprendre que la descente avait duré juste une minute.

Mais le bruit des verrous qui se fixaient, la sensation sous lui de cette solidité, l'égaya brusquement ; et ce fut en plaisantant qu'il tutoya Catherine. "

AVEZ-VOUS UNE BONNE MÉMOIRE?

▷ LISEZ-VOUS ATTENTIVEMENT? TESTEZ-VOUS!

1. Le four à micro-ondes est né...

a) au Canada.

b) aux Etats-Unis.

c) en France.

2. En France, il y a un magnétoscope dans...

a) 50% des maisons.

b) 60% des maisons.

c) 80% des maisons.

3. En examinant des momies égyptiennes, des scientifiques ont trouvé des traces de nicotine...

a) dans la racine de leurs cheveux.

b) dans leurs ongles.

c) dans leur estomac.

4. Les troupes canadiennes ont pris d'assaut la crête de Vimy...

a) en 1915.

b) en 1917.

c) en 1918.

5. Charlemagne a régné en France...

a) de 768 à 814.

b) de 750 à 814.

c) de 775 à 814.

6. Le ministre de l'instruction publique de 1879 à 1883 était...

a) Aristide Briand.

b) Raymond Poincaré.

c) Jules Ferry.

7. Les légumes...

a) sont excellents pour la santé.

b) font tomber les cheveux.

c) ne peuvent pas être congelés.

8. Le soja est une graine qui remplace...

a) les fruits.

b) les légumes.

c) la viande.

9. Ewan McGregor est...

a) anglais.

b) gallois.

c) écossais.

10. Dans le roman *Germinal*, Etienne Lantier travaille dans...

a) un garage.

b) une mine.

c) une usine.

Réponses: 1. b), 2. b), 3. a), 4. b), 5. a), 6. c), 7. a), 8. c), 9. c), 10. b).

Êtes-vous de vrais gourmands?

Les saucisses de STRASBOURG
Le saucisson de LYON
La moutarde de DIJON
Le nougat de MONTELIMAR
L'andouille de VIRE
Les tripes à la mode de CAEN
Le melon de CAVAILLON
Les bêtises de CAMBRAI

L'instrument de musique mystérieux

Il s'agit de la CORNEMUSE.

Solutions (page 33):

Bretagne

Le phare de Sauzon,
Belle-Ile-en-Mer

Le miroir aux fées
dans la forêt de
Brocéliande

Roscoff
Lannion
Morlaix
Guingamp
St Malo
N12
E50
BREST
St Brieuc
Dinan
CÔTES D'ARMOR
Fougères
N12
E50
FINISTÈRE
ILLE-ET-VILAINE
Douarnenez
Pontivy
N157
E50
Audierne
Quimper
RENNES
MORBIHAN
Josselin
Concarneau
Quimperlé
Pont-Aven
Lorient
E60
Redon
N165
Vannes
Quiberon
Belle-Ile-en-Mer

Concarneau, vieille ville fortifiée

La Table Ronde et le saint
calice

Les Monts d'Arrée

Séjour en Bretagne

La Bretagne est une des régions de France préférées des Britanniques. Les raisons de cette préférence sont nombreuses, la plus évidente étant la ressemblance avec certaines régions de l'Angleterre. Il y en a bien d'autres. Le temps est doux pendant la plupart de l'année, il y a des centaines de kilomètres de belles plages, le paysage est très varié et les Bretons sont accueillants.

Si une famille française vous invitait à passer le mois d'août dans leur maison de vacances en Bretagne vous accepteriez sans doute!

1 Lisez cette lettre puis rédigez une réponse avec les renseignements qui suivent à la page 44.

Chers amis,

Ma femme, mes enfants et moi gardons un très bon souvenir de notre séjour en Angleterre l'été dernier. Et c'est en grande partie dû à votre gentillesse. Nous avons eu la chance de rencontrer des gens si sympathiques et si accueillants. Pendant cinq jours nous avons pu apprécier la vie dans un milieu anglais. De plus nous avons, grâce à vous, visité les plus beaux coins de votre région.

Et maintenant nous vous invitons à venir passer quelques semaines dans notre maison du Morbihan. Nous y serons pendant les trois premières semaines du mois d'août. Ensuite nous devrons rentrer à Paris. Mais cela ne vous empêchera pas d'y rester jusqu'à la fin du mois. La maison, notre bateau, tout sera à votre disposition.

Si vous voulez faire des excursions ailleurs dans la région, n'hésitez pas à considérer notre maison comme point de chute. Cependant il nous serait très agréable de vous montrer notre région. On pourrait, si cela vous faisait plaisir, faire des promenades en bateau, et même une petite croisière au large de la côte sud. Aimeriez-vous faire de la pêche en mer ? Ma femme sait préparer des plats merveilleux avec le poisson et les crustacés.

Les enfants ne s'ennuieront pas. On est à vingt minutes d'une très belle plage et Auray n'est pas loin. En août, cette région est un vrai paradis pour les jeunes. Je sais que votre fille parle admirablement le français. Elle m'a dit qu'elle doit choisir un sujet à préparer pour son examen. Elle pourrait joindre l'utile à l'agréable en choisissant quelques aspects de la Bretagne.

J'attends avec impatience votre réponse. Si vous acceptez, envoyez-moi quelques détails sur vos projets. Vous trouverez ci-joint un message sur cassette de la part de ma femme et des enfants.

Très sincèrement,

Claude Leroy

Acceptez l'invitation de Monsieur Leroy, remerciez-le convenablement puis donnez les renseignements suivants.

Dates de la visite:	2ᵉ et 3ᵉ semaines d'août.
Excursions:	A l'intérieur et au nord 2ᵉ semaine – absence de la maison de 4–5 jours.
Ce qu'on veut faire:	D'accord pour la croisière et pour la pêche en mer./Randonnées cyclistes et pédestres dans l'intérieur./Quelques jours sur la plage: sports nautiques.
Ce qu'on veut voir:	Pont-Aven, Concarneau, Belle-Ile, l'Ile de Groix.

 2 Ecoutez le message sur cassette puis complétez les exercices ci-dessous.
  (a) Cherchez sur la carte de la région les endroits mentionnés puis écrivez-les.
  (b) Qu'est-ce que chaque membre de la famille propose de faire?

Exemple: Jean: Il propose d'aller à la baie d'Audierne.

Jean
Marie
Madame Leroy

Ecrivez vos réponses dans le tableau.

3 Pendant son séjour en Bretagne, Victoria, la fille de la famille anglaise, a noté les événements de chaque jour. Rentrée en Angleterre, elle a rédigé un journal d'après ses notes. Voici ce qu'elle a écrit pour le premier jour de la croisière, d'abord sous forme de notes et ensuite dans son journal.

Notes pour le journal du 10 août

4 heures: départ de la maison – en route pour le port à deux voitures – beaucoup de provisions.
Embarquement des provisions – bateau très beau!
6 heures: en mer: à droite la presqu'île de Quiberon, à gauche le lever du soleil...
6 heures 30: petit déjeuner sur le pont.
9 heures: première escale port du Palais sur Belle-Ile. Tour de l'île en autocar. Pique-nique, plage magnifique.
16 heures: en route pour l'Ile de Groix. Escale à Port-Tudy Belle soirée – repas magnifique préparé par M. Leroy sur le pont – champagne!!
Temps: Beau – soleil – assez chaud – un peu de vent – quelques nuages l'après-midi.

Page du journal

Lundi 10 août

Nous sommes partis de la maison à 4 heures du matin en route pour le port. Nous avons pris les deux voitures qui étaient pleines à craquer de provisions pour la croisière.

Arrivés au port, nous avons tout porté sur le bateau. Jean avait exagéré un peu mais pas tellement. C'est un beau bateau et même plutôt luxueux.

Vers 6 heures, nous étions en mer. Comme nous longions la presqu'île de Quiberon nous avons pris le petit déjeuner sur le pont en admirant le lever du soleil.

Vers 9 heures et demie, nous avons fait escale au port du Palais sur Belle-Ile, la plus importante des Iles bretonnes. Le Palais est une vieille ville fortifiée avec une citadelle. Après avoir débarqué, nous avons fait le tour de l'île en autocar. Nous avons pique-niqué sur une plage magnifique en fin de matinée.

L'après-midi, nous sommes retournés au Palais. A 4 heures, nous nous sommes mis en route pour l'Ile de Groix. Nous avons amarré à Port-Tudy, ancien port thonier. Nous avons passé une excellente soirée à manger sur le pont un repas délicieux préparé par Monsieur Leroy. Nous avons arrosé le tout au champagne !

Dans l'ensemble, nous avons eu beau temps. Le matin il a fait beau et chaud et il y avait du soleil. L'après-midi, il y avait quelques nuages et il a fait du vent.

Notes pour le journal du 11 août

8 heures : petit déjeuner
9-12 heures : tour de l'île en autocar.
    visite du phare à Pen-men.
    visite des grottes Trou du Tonnerre, Trou de l'Enfer.
    baignade aux Grands Sables.
12.30-13.30 : déjeuner dans un restaurant du port, au menu : langoustines et huîtres.
14 heures 30 : départ pour Concarneau.
19 heures : arrivée à Concarneau.
19 heures 30 : dîner au restaurant.
    soirée en boîte jusqu'à minuit.

Temps : beau et chaud le matin, un peu de vent l'après-midi, températures en baisse. A Concarneau, temps plus chaud.

Rédigez, d'après ces notes, la page du 11 août en vous inspirant de celle du 10 août ci-dessus.

La pêche

La pêche en France

En 1993, la France occupe le 4ᵉ rang de l'Union européenne pour les prises (en poids), et est approximativement au 25ᵉ rang mondial.

Quelques chiffres

Les ports de pêche

---

	millions de francs	milliers de tonnes
Boulogne	505	69
Caen	275	24
Cherbourg	616	90
Concarneau	1 212	175
Guilvinec	614	37
La Rochelle	255	23
Les Sables d'Olonne	345	25
Lorient	361	39
Marennes/Oléron	526	38
Sète	442	45

***Quantité de poisson débarqué (1994) en tonnes et valeur en millions de francs (Pêche et *culture marine par *quartier maritime)**

(Tableaux de l'économie française 1996–1997 INSEE)

Principales consommations françaises

(en milliers de tonnes en 1989)

Produits frais

Crustacés:	32
Mollusques:	264
dont huîtres:	126
Poissons d'eau douce:	34
Poissons de mer:	350

Produits séchés, fumés:	17
Conserves:	241

Produits congelés

Crustacés:	39
Mollusques:	14
Poissons d'eau douce:	26
Poissons de mer:	199

Principales espèces de poissons débarqués
(en milliers de tonnes en 1990)

Hareng	21,4
Lotte	13,8
Maquereau	21,2
Merlan	22,3
Merlu	21,2
Sardine	26,8
Thon	160,7

Notez bien

*Cultures marines: elles comprennent l'élevage d'huîtres, de moules et autres coquillages ainsi que l'élevage en bassins de poissons, crustacés et autres espèces.
*Quartier maritime: Circonscription maritime territoriale de l'inscription maritime.

*Quantités débarquées: Souvent les captures sont vidées, éviscérées, filetées, salées . . . à bord des bateaux de pêche ou de navires-usines. Les quantités débarquées désignent le poids des prises mis à terre.

4 Etudiez bien la carte à la page 46 puis faites les exercices suivants.

1 Notez où se pratique la pêche . . .
  (a) à la langouste.
  (b) au thon.
  (c) au maquereau.
  (d) à la sardine.
  (e) au merlan.

Bateaux de pêche dans le port

2 Notez où se trouvent les ports suivants.
  (a) Boulogne.
  (b) Concarneau.
  (c) La Rochelle.
  (d) Marennes.
  (e) Sète.

5 Etudiez les tableaux à la page 46 puis faites les exercices qui suivent.

1 Donnez les renseignements suivants:
● le port où est débarquée la plus grande quantité de poissons
● l'espèce de poisson dont on débarque le plus grand tonnage
● l'espèce de mollusques dont les Français ont consommé 126 000 tonnes en 1989

2 Trouvez les mots ou expressions qui correspondent aux définitions suivantes:
  (a) conservé par l'action du froid;
  (b) poisson long de 20 centimètres, voisin du hareng de la Méditerranée ou de l'Atlantique, consommé frais ou conservé dans de l'huile;
  (c) eau qui n'est pas salée;
  (d) classe d'animaux à laquelle appartiennent les crabes et les crevettes;
  (e) qui a rapport à la mer ou à la navigation en mer.

6 Ecoutez un entretien entre un pêcheur artisanal concarnais et un journaliste, puis complétez les exercices ci-dessous.

1 **Après une première écoute, définissez à l'aide d'un dictionnaire les mots ou expressions qui suivent.**

pêcheur artisanal   langouste   langoustier   côtier   sonar   banc de poissons   rentable   débouché   droit de la mer   thonier   loup de mer   quota   concurrence   navire-usine   surpêcher   indemnité   communautaire

2 *Section A:* **remplissez les blancs dans le texte suivant avec des mots choisis dans la liste ci-dessous (notez qu'il y a plus de mots que de blancs).**

Monsieur Léhélec est devenu pêcheur à l'âge de . . . ans. Son père pratiquait la pêche à la . . . . A cette époque c'était surtout une pêche . . . . Puisque les . . . locaux sont appauvris, il faut chercher des . . . de plus en plus . . . . Les pêcheurs vont aux . . . . . ., en . . . et même au . . . du Brésil. Puisque la . . . est un produit de luxe, on est assuré de . . . . Monsieur Léhélec considère que le droit de . . . exclusif des pays à 200 milles de leur côte rend difficile la pêche à la langouste . . . .

fonds   lointains   Afrique   dix-sept   débouchés   Iles Britanniques   seize   sardine   langouste   stocks   large   langouste   Inde   pêche côtière   côtière

3 *Section B:* **donnez les renseignements suivants concernant la pêche au thon.**
  ● endroits où elle se pratique
  ● description des thoniers modernes
  ● équipement de ces bateaux

4 *Section C:* **répondez aux questions suivantes.**
  (a) Qu'est-ce qui représente une concurrence pour les pêcheurs artisanaux?
  (b) Selon Monsieur Léhélec, qu'est-ce qu'il ne faut pas faire pour sauvegarder les stocks?
  (c) Qu'est-ce que certains pêcheurs ont fait moyennant une indemnité communautaire?

La pêche en Bretagne

Ports sardiniers

Bateaux de pêche bretons

Les *cuves de salaison* gallo-romaines découvertes autour de la Baie de *Douarnenez* révèlent l'exploitation très ancienne de la *sardine*, véritable manne nourricière de la Bretagne-Sud. Au XVᵉ siècle, les *marins* de Penmarc'h pêchaient le merlu en hiver et la sardine en été dès lors que les bancs de poisson remontaient vers le Golfe de Gascogne. Cette activité saisonnière, pilier de l'économie littorale, est étroitement liée à l'évolution des techniques de conservation du poisson. *Salaison, fumage* et *pressage* se succèdent au fil des siècles. En 1851 ouvrent à Douarnenez et Concarneau les premières *conserveries* utilisant le procédé Appert de *stérilisation* à haute température. Cent soixante-dix « fritures » jalonnent bientôt les côtes bretonnes et vendéennes, employant une importante *main d'œuvre féminine* portant sabots et coiffes. A Douarnenez, dans cette ville populeuse animée par une foule pittoresque de *pêcheurs* et d'*ouvrières*, vivaient, en 1914, 1 800 habitants au km². Huit cents *chaloupes* sardinières peuplaient alors le port du Rosmeur tandis que 500 autres prenaient la mer à Concarneau. Des milliers de marins, leur pêche débarquée, envahissaient les jetées, les rues et les bistrots.

Sur les quais sèchent toujours les *filets* bleus mais la vitalité de Douarnenez, septième port de pêche français, ne repose plus aujourd'hui sur cet or bleu. Car la frétillante sardine est versatile : après la superbe campagne de 1879, elle ne daigne pas remonter au-delà de *Belle-Ile*. En 1902, elle disparaît à nouveau des filets pour ne réapparaître qu'en 1913 ! Soumis à ces fluctuations, les marins de Douarnenez et de *Concarneau* diversifient leurs captures. Ils se lancent, les uns dans la pêche à la *langouste*, les autres dans la pêche au *thon* avec d'autant plus d'ardeur que cette dernière espèce peut aussi être mise en *boîte*. Après-guerre, la concentration des « friteries » entre les mains de quelques grands noms de l'industrie aboutit à la fermeture des entreprises familiales. Le climat social se dégrade sur fond de grèves et de manifestations. Aujourd'hui ne subsistent en Bretagne que vingt-deux conserveries, dont la plus importante, l'entreprise Paulet, est toujours implantée à Douarnenez. Le port finistérien partage désormais ses activités entre la pêche semi-industrielle et la pêche artisanale tout en se passionnant pour la sauvegarde de son patrimoine.

Poissons et fruits de mer	Personnes dépendant de la mer	Ce qui a rapport à la conservation du poisson	Ce qui est utilisé pour la pêche

7 Lisez le texte puis classez les mots ou expressions en caractères gras dans les colonnes qui conviennent.

8 Décrivez ce qui se passait en complétant chacune des phrases suivantes.
   (a) A la période gallo-romaine, on . . . la sardine.
   (b) Au 15ᵉ siècle les marins de Penmarc'h . . . le merlu en hiver et la sardine en été.
   (c) Au 19ᵉ siècle 170 'fritures' . . . les côtes bretonnes et vendéennes.
   (d) En 1914 à Douarnenez . . . 1 800 habitants au km².
   (e) 500 chaloupes sardinières . . . la mer à Douarnenez.

Formation de l'imparfait

Pour former l'imparfait il suffit:

(a) de supprimer le **-ons** de la première personne du pluriel du présent, et

(b) d'ajouter les terminaisons suivantes:
-ais, -ais, -ait, -ions, -iez, -aient

Exemples:

Notez l'imparfait du verbe **être**:

j'étais, tu étais, il/elle était,
nous étions, vous étiez, ils/elles étaient

Première étape	**Deuxième étape**
boire buvons: **buv...**	*je buvais*
marcher marchons: **march...**	*tu marchais*
remplir remplissons: **rempliss...**	*il/elle remplissait*
savoir savons: **sav...**	*nous savions*
vendre vendons: **vend...**	*vous vendiez*
voir voyons: **voy...**	*ils/elles voyaient*

9 **Répondez aux questions suivantes.**
  (a) Qu'ont fait les marins quand la sardine a commencé à disparaître?
  (b) Dans quel genre de pêche se sont-ils lancés?

10 **En vous servant de tous les documents sur la pêche, y compris l'interview avec Monsieur Léhélec, rédigez un court reportage sur quelques aspects de la pêche en Bretagne-Sud. Voici un plan pour vous aider à structurer votre travail:**

  1 Esquisse de la situation actuelle de l'exploitation de la mer en France.
  2 La place et l'importance de la Bretagne.
  3 Petite esquisse de l'activité en Bretagne-Sud.
  4 Problèmes que doivent affronter les pêcheurs artisanaux.
  5 Vos propres idées sur la pêche.

11 **Présentez votre travail à la classe. Vous pouvez utiliser tous les supports audio-visuels à votre disposition.**

1 L'emploi de verbes auxiliaires

Les verbes tels que:

devoir, pouvoir, vouloir, savoir

sont employés comme auxiliaires de l'infinitif.

Exemples:

*Nous **devons** rentrer en Angleterre.*
*Je **voudrais** visiter Pont-Aven.*
*Mon père ne **sait** pas nager.*

2 Les pronoms accentués

moi, toi, lui, elle, nous, vous, eux, elles

s'emploient souvent pour insister sur le sujet du verbe.

Exemples:

Moi, *je préfère la planche à voile.*
Eux, *ils sont pêcheurs.*

Ils s'emploient aussi après une préposition.

Exemple:

*Grâce à **lui**, nous avons passé de très bonnes vacances.*

Pratique

Voici la liste des préparatifs à faire avant de partir en vacances:

1 Décrivez les activités des divers membres de la famille en employant le verbe *devoir* **à la forme appropriée.**

Exemple:

acheter des provisions (Papa et Maman)

→

Papa et Maman **doivent** acheter des provisions.

> acheter des provisions (Papa et maman)
>
> aller au garage pour faire le plein d'essence (Papa)
>
> faire les bagages (moi)
>
> emmener le chien chez grand-maman (mon frère et moi)
>
> inspecter les bagages (maman)
>
> chercher les cartes (mon frère)
>
> enregistrer des émissions à la télé (Papa)
>
> décommander les journaux et les magazines (moi)
>
> donner les clefs au voisin (maman)

 2 En vous inspirant de l'exercice précédent, répondez aux questions de votre voisin(e) qui veut savoir ce que chaque membre de la famille doit faire. Vous emploierez un pronom accentué indiquant que vous insistez sur le sujet qui fait l'action.

Exemple:
– Votre père, que va-t-il faire?
– Lui, il va aller au garage pour faire le plein d'essence.

Pont-Aven

Pont-Aven se trouve dans la vallée de l'Aven. C'est un petit port situé au début de l'estuaire, à 6 km de la mer. Il est connu pour l'aspect pittoresque de sa rivière, parsemée de rochers et jalonnée de moulins. Célébré par les tableaux de Paul Gauguin, c'était un lieu de séjour apprécié des peintres de la fin du 19e siècle. Le premier dimanche d'août a lieu le 'pardon' d'ajoncs, établi par le barde Théodore Botrel (1866–1925). Les femmes revêtent à cette occasion les costumes d'autrefois.

La vision du sermon de Gauguin

Pont-Aven, le port

Pont-Aven au 19e siècle

Paul Gauguin, auto-portrait de l'artiste

12 Ecoutez un entretien avec Madame Maillet, propriétaire de l'auberge-café Les Rosiers, puis écoutez et lisez cet entretien avec Corinne Lebrun, qui travaille au musée de Pont-Aven.

Interviewer: Bonjour, Mademoiselle. Pouvez-vous nous expliquer en quoi consiste votre travail au musée?

Corinne: D'abord je dois vous dire que je ne travaille pas ici de façon permanente car je suis encore étudiante. J'étudie l'histoire de l'art à l'université de Rennes. Je travaille ici pendant les vacances

d'été pour l'expérience et pour gagner un peu d'argent. J'accueille les visiteurs, je leur explique les peintures et, de temps en temps, je donne des conférences sur l'école de peinture de Pont-Aven. Je suis devenue un peu spécialiste, en particulier de Gauguin, Whistler et bien d'autres artistes qui travaillaient ici vers la fin du 19e siècle. Je donne des cours aux élèves des écoles avoisinantes quand ils viennent en visite scolaire.

Interviewer: Tout cela doit être très intéressant! Et, à votre avis, qu'est-ce qui a attiré les peintres à Pont-Aven?

Corinne: D'abord c'est un endroit très pittoresque. Et en plus Pont-Aven est, et a toujours été, une ville accueillante. Et puis au 19e siècle c'était bon marché. La campagne autour était une source essentielle d'inspiration. Connaissez-vous *La Vision du sermon* de Gauguin? C'est la première peinture qu'il a peinte ici.

Interviewer: La ville et la campagne sont-elles toujours une source d'inspiration pour les artistes?

Corinne: Ce n'est plus l'école de Pont-Aven de la fin du 19e siècle, mais quand même il y a ici de très bons artistes et artisans dont l'œuvre est très demandée. Depuis 1986 la ville a rénové, au 3e étage de l'Hôtel de Ville, quatre ateliers d'artistes. Ils sont attribués tous les ans à des artistes de différentes nationalités. Cette année il y a un Japonais, un couple de Norvégiens, une Canadienne et un Français. Le Centre d'initiation artistique de Pont-Aven propose des stages de peinture tout au long de l'année.

Interviewer: Alors, je vois que Pont-Aven est resté le berceau des peintres de l'avenir. Je vous remercie de m'avoir si bien renseigné sur votre ville. Au revoir, Mademoiselle.

Corinne: C'était avec plaisir. Au revoir, Monsieur.

 13 **En vous inspirant des entretiens et de ces photos de Pont-Aven, rédigez un dépliant destiné surtout à ceux et à celles qui s'intéressent à la peinture et qui voudraient peut-être faire un stage de peinture à Pont-Aven. Dans votre dépliant vous devrez inclure les renseignements suivants:**

1 une description de la ville (vous trouverez ci-dessous des mots et expressions utiles);
2 quelques détails sur l'école de Pont-Aven du 19e siècle;
3 les possibilités d'excursions dans la région (consultez les cartes et autres documents à votre disposition);
4 un programme de cours et d'activités inventés par vous.

Voici des mots et expressions utiles pour décrire la ville de Pont-Aven.

pittoresque artistique rivière estuaire forêt marée haute marée basse
toits en ardoise église bateau à voile mât quai rive bord

 14 **Présentez votre dépliant à la classe.**

Bretagne: pays de la légende

Le Roi Arthur et la légende de la Table Ronde

La légende d'Arthur et des Chevaliers de la Table Ronde a exercé et exerce toujours un grand pouvoir sur l'imagination, que ce soit dans la littérature ou le cinéma. Selon les chansons du Moyen Age, au cœur de l'ancienne forêt de Brocéliande, aujourd'hui la forêt de Paimpont, vivaient Merlin l'enchanteur et la fée Viviane. Selon les chansons françaises, les aventures des chevaliers tels que Lancelot du Lac, Perceval et Galahad se passaient en Bretagne.

1 Légende des Chevaliers de la Table Ronde

La quête du Saint-Graal inspira au Moyen Age de nombreuses histoires de chevalerie, dont les fameuses légendes arthuriennes.

Après la mort de Jésus de Nazareth, l'un de ses disciples, Joseph d'Arimathie quitte la Palestine pour un long voyage qui le mènera jusqu'en Bretagne, emportant avec lui la coupe qui recueillit le sang du Christ lors de la Cène. Ayant gagné la forêt de Brocéliande, Joseph disparaît, et avec lui, le saint calice.

Six siècles plus tard, le Roi Arthur entreprend de retrouver le Saint Graal et entraîne cinquante de ses plus valeureux chevaliers dans cette quête aventureuse. Selon la légende, seul un chevalier au cœur pur pourra réussir : Perceval le Gallois sera celui-là. La table ronde, autour de laquelle Arthur et ses chevaliers siègent sans préséance, illustre quant à elle les valeurs chevaleresques.

2 Le Roi Arthur, le mythe et la vérité historique

Lorsqu'on évoque le Roi Arthur, il nous vient toujours à l'esprit les mêmes images : un roi plein de majesté et ses fidèles chevaliers en armures, tenant conseil dans un château-fort autour d'une table ronde pour préparer quelque dangereuse aventure. Ces images nous sont inspirées par les auteurs des XIIe et XIIIe siècles qui prenaient modèle sur la société de leur époque, celle de la cour des Capétiens et des Plantagenets. Pourtant cette vision est totalement fausse puisque les événements représentés dans les *romans de la Table Ronde* ont pour véritable cadre historique l'île de Bretagne (l'actuelle Grande-Bretagne) aux alentours de l'an 500, à la fin de l'Empire romain et au début de l'époque mérovingienne : soit un décalage de sept siècles !

3 Le mythe vit encore...

La forêt de Brocéliande, site légendaire et historique, abrite aujourd'hui le Centre de l'Imaginaire Arthurien, au sein du Château de Comper. Dans ce lieu magique, quelques amoureux de la légende arthurienne tentent de faire revivre le mythe, au travers des œuvres modernes ou anciennes qui lui ont été consacrées, et notamment en aidant à leur diffusion auprès du grand public. Lieu de mémoire, le Château de Comper constitue une source de connaissance extraordinairement riche avec toutes les références et les images indispensables. On s'attendrait presque à y rencontrer les légendaires aventuriers du Graal.

15 **Résumez le contenu de ces trois articles en un seul paragraphe de 100 mots environ. Votre résumé devra faire ressortir les éléments suivants:**
- la légende du Saint Graal
- ce qui indique que la légende est différente de la réalité
- ce qui indique qu'on est toujours fasciné par la légende

Aspects de la vie sociale et économique de la Bretagne

 16 **Ecoutez ce qu'on dit à propos de la vie sociale et économique de la région, puis complétez les exercices.**

1 **Indiquez qui aurait dit chacun des extraits que vous venez d'entendre. Choisissez dans la liste ci-dessous.**

(a) un touriste mécontent;

(b) un membre des Verts de Bretagne;

(c) la mère d'un élève d'une école primaire;

(d) le directeur d'une organisation représentant les éleveurs de bovins de Bretagne;

(e) le proviseur d'un lycée d'une grande ville;

(f) le maire d'une des grandes villes de l'ouest de la France;

(g) le directeur d'un Office du Tourisme.

2 **Indiquez pour chaque extrait s'il s'agit de la vie sociale, de la vie économique ou des deux. Justifiez votre choix.**

Vie sociale	Vie économique	Vie sociale et vie économique
1.		
2.		
3.		
4.		
5.		
6.		
7.		

Grammaire

L'emploi de *en, au* ou *aux* devant les noms de pays

Règle

en est employé devant un pays au féminin singulier:
en France, **en** Italie, **en** Afrique

au est employé devant un pays au masculin singulier:
au Canada, **au** Brésil

aux est employé devant un pays au pluriel (féminin ou masculin): **aux** Philippines, **aux** Etats-Unis

Pratique

Complétez ce texte avec les prépositions appropriées.

Monsieur Leroy habite à Paris. Il voyage beaucoup pour affaires: . . . Espagne, . . . Italie, . . . Pays-Bas, . . . Allemagne, . . . Canada et . . . Etats-Unis. Il aime passer ses vacances . . . France. Cependant l'année prochaine il compte aller . . . Japon.

Contrôles ☑

Contrôle des connaissances

Le tourisme

1 **Indiquez sur la carte ci-dessus les localités suivantes.**

Pont-Aven, Belle-Ile, Concarneau, La forêt de Paimpont, Les Monts d'Arrée.

2 **Choisissez deux de ces localités puis, sur chacune, rédigez un paragraphe décrivant leurs attractions touristiques.**

La pêche

1 **Nommez six ports de pêche bretons.**

2 **Indiquez si les constatations suivantes sont vraies ou fausses en cochant dans la colonne qui convient.**

	Vrai/Faux
Les marins de Douarnenez se spécialisent toujours dans la pêche à la sardine.	
Concarneau est le premier port de pêche français.	
La pêche au thon est pratiquée par les pêcheurs au large de l'Afrique Occidentale et dans les eaux de l'Océan Indien.	
La pêche à la langouste se pratique sur la côte méditerranéenne.	
Il n'y a plus de conserveries de sardines dans les ports de Bretagne-Sud.	

3 **Parmi les problèmes suivants, cochez ceux que doit affronter le pêcheur artisanal.**

- appauvrissement des stocks
- surpêchage des eaux côtières
- touristes qui font de la pêche en mer
- manque de clientèle pour les produits de luxe
- manque de sonar et d'autres équipements modernes

Contrôle de la grammaire

1 **A partir des notes suivantes, écrivez à l'imparfait ce que faisait chaque jour l'un des participants au stage de peinture à Pont-Aven.**

06.30
réveil, douche

07.00
petit déjeuner

07.30–08.00
jogging

08.30–10.30
cours de peinture à l'atelier

11.00–14.00
cours de peinture en plein air
reste de l'après-midi libre: excursions, baignades, peinture

19.00
dîner
reste de la soirée libre: réunion, café-bar, boîte de nuit

Exemple: Je me levais à six heures et demie.

2 **Imaginez que vous venez de faire un stage de peinture à Pont-Aven. Dites à un(e) des stagiaires ce qu'il est possible de faire pendant le stage en employant le verbe *pouvoir* et les expressions suivantes.**

assister à des cours de peinture, rencontrer des personnes sympathiques, pratiquer le français, assister à des conférences sur l'histoire de l'art, faire des excursions.

Exemple: On peut/Tu peux faire des excursions.

Contrôle du vocabulaire

1 **Etablissez une liste de 10 espèces de poissons ou crustacés.**

2 **Faites une liste de 10 objets utilisés par le pêcheur dans son métier.**

magazine

IL Y A 15 ANS, ÇA N'EXISTAIT PAS (2)

L'ordinateur : une créativité illimitée

S'il fallait trouver un symbole pour les années 80, ce serait sans doute l'ordinateur Mackintosh et la petite pomme d'Apple. Traitement de texte, données, logiciels de création graphique ou musicale, jeux... toutes ces merveilles ont envahi les entreprises, les administrations, les maisons et les écoles.

Grâce au modem et aux lignes téléphoniques, l'ordinateur nous aide à communiquer avec le monde entier. Grâce à Internet et aux réseaux, il pourra bientôt faire à l'échelle de la planète ce que notre Minitel nous permet de faire en France : acheter, vendre, s'informer, dialoguer et même faire des rencontres.

Téléphonie sans fil, répondeur : présent ou absent, on peut vous contacter partout

Autrefois, on savait si quelqu'un était chez lui ou à son travail, absent ou présent. Depuis l'invention du répondeur, plus rien n'est sûr. Vous pouvez interroger votre répondeur à distance et rappeler vos interlocuteurs presque aussi vite que si vous étiez chez vous. En revanche, vous pouvez être vraiment chez vous... sans y être car le répondeur vous permet de filtrer les appels et de ne répondre qu'aux personnes de votre choix. Longtemps attaché à un lieu par un fil, le téléphone peut être sans fil depuis les années 80. Encore plus étonnant : le téléphone cellulaire. Vous vous trouvez partout à la fois mais personne ne peut savoir où vous êtes vraiment quand vous répondez.

Le VTT : aventure, liberté et retour à la nature

Inventé en Californie en 1973, le *mountain bike* est arrivé en France en 1984 où il a été rebaptisé VTT (vélo tout terrain). Aujourd'hui, il se classe en tête des ventes de vélos et huit millions de Français l'utilisent. Pourquoi ce succès alors que les Français boudaient le vélo depuis les années 70 ? Robuste et léger, le VTT a été créé pour descendre les pentes des montagnes. Dans l'esprit des citadins asphyxiés, il est le symbole de l'aventure, de la liberté et du retour à la nature. Plus sportif que la marche à pied, plus écologique que le moto-cross, le VTT a remplacé la mobylette pour le jeune lycéen « dans le coup ». Accompagné du *roller-blade*, le VTT est aussi devenu un moyen de déplacement alternatif à l'automobile et aux transports en commun.

Jeu: qu'est-ce que c'est?

1. Grâce à lui, on peut vous joindre partout sans savoir où vous êtes vraiment.   C'est ———.

2. On peut l'utiliser à la maison ou au travail pour faire des jeux, des traitements de texte, des graphiques etc.   C'est ———.

3. Symbole de l'aventure et de la liberté, il est utilisé par huit millions de Français.   C'est ———.

4. Grâce à lui, vous pourrez bientôt acheter, vendre, vous informer, dialoguer à l'échelle de la planète.   C'est ———.

5. Il prend les messages quand vous n'êtes pas là et vous permet de filtrer les appels quand vous êtes chez vous.   C'est ———.

Réponses: 1. le téléphone sans fil.   2. l'ordinateur.   3. le VTT.   4. l'Internet.   5. le répondeur.

Les Galettes et les Crêpes Bretonnes

Pour faire la différence entre crêpes et galettes, il faut être breton. A l'ouest de la Bretagne, on « fait des crêpes » alors qu'à l'est on « mange la galette ». La pâte est la même, celle de la galette peut être un peu plus épaisse, et elle est toujours faite de sarrasin ou blé noir. Les crêpes et les galettes sont nées avant le pain et le remplacent encore au cœur de la Bretagne. Aliment de pays pauvre, la crêpe de blé noir n'était faite que de sarrasin, de sel et d'eau. Les jours de fête, on remplaçait la farine de sarrasin par de la farine de blé et on ajoutait du lait et des œufs. De nos jours, crêpes et galettes sont devenues de véritables spécialités touristiques.

Même si la recette des crêpes est simple, il n'est pas toujours facile de bien les réussir car il faut savoir les faire sauter.

Préparation des crêpes

Voici la liste des ingrédients et des ustensiles nécessaires pour faire des crêpes.

● Ingrédients

(pour une dizaine de crêpes):
250 g de farine
100 g de sucre en poudre
3 œufs
1/2 litre de lait frais environ
1 pincée de sel
un peu de beurre pour la cuisson
un petit verre de rhum, Cointreau ou Grand Marnier

● Ustensiles

une poêle
une louche
une spatule
un saladier
des assiettes

Dans la recette qui suit, il manque certains mots. En vous aidant de la liste des ingrédients, essayez de les retrouver pour compléter le texte puis allez faire vos crêpes. Si elles ne sont pas délicieuses, c'est que vous avez dû faire une erreur !

Mettez les 250 g de (———) dans un saladier et faites un trou au centre. Ajoutez la (———) de sel et le sucre. Remuez en ajoutant petit à petit les (———) battus. Versez progressivement le (———) froid pour obtenir une pâte bien lisse. Incorporez à cette pâte le beurre fondu et le (———) ou le Cointreau ou le Grand Marnier. Si possible, laissez reposer la pâte une heure ou deux.

Pour faire cuire les crêpes, mettez une (———) assez grande à chauffer. Faites fondre un peu de (———). Avec une louche, versez la pâte dans la poêle. Laissez cuire une ou deux minutes suivant l'épaisseur de la crêpe puis tournez-la, soit avec une spatule soit en la faisant sauter. Laissez encore cuire à peu près une minute puis faites glisser la crêpe sur une assiette. Saupoudrez de (———) et recommencez l'opération pour la crêpe suivante sans oublier de remettre un peu de beurre dans la poêle. Servez avec du sucre, de la confiture ou du miel.

Un conseil : pour garder les crêpes au chaud, mettez-les entre deux assiettes posées sur une casserole d'eau bouillante.

Réponses: farine, pincée, œufs, lait, rhum, poêle, beurre, sucre.

Le secret des mégalithes

Depuis des siècles archéologues, érudits et autres savants « mégalithomanes » essaient de percer le secret des menhirs et des dolmens et bon nombre de théories fantaisistes ont été élaborées à leur sujet. L'étude de ces géants de pierre a pourtant un mérite : elle nous permet de mieux connaître les habitudes de leurs bâtisseurs, ces hommes et ces femmes qui peuplaient nos contrées voici six mille ans. ▶▶

On trouve des mégalithes un peu partout dans le monde : en Angleterre, en France, en Espagne, au Portugal, au Soudan, en Ethiopie, en Palestine, à Madagascar, en Inde, en Chine et au Japon, sans oublier la Colombie et la lointaine île de Pâques. S'il est difficile d'expliquer qui les a construits et pourquoi, une chose est certaine : les monuments mégalithiques comme les dolmens se ressemblent tous. Ceci est pour une raison bien simple : leur architecture est la plus banale qui soit. Un dolmen par exemple, c'est le B.A.-Ba de la construction : trois ou quatre gros blocs dressés, des « monolithes », (du grec *mono*, « seul » et *lithos*, « pierre ») sur lesquels repose une table de pierre.

Le mégalithe (du grec *méga*, « grand », et *lithos* « pierre ») est très lourd, archi-lourd même. Un exemple stupéfiant : on a calculé que le Grand Menhir brisé de Locmariaquer en Bretagne devait peser 350 tonnes. On peut donc s'imaginer que les

Le Dolmen de Crucuno à Carnac

mégalithes étaient très difficiles à transporter sans moyen mécanique. Quelles méthodes employaient alors les bâtisseurs de monuments mégalithiques ?

Les carriers bretons commençaient par repérer les blocs de bonne qualité qui affleurent des vieux massifs. Pour sortir la dalle de son lit, ils creusaient d'abord une tranchée avec des pics en bois de cerfs en agrandissant les fissures naturelles autour de la roche. Ils creusaient ensuite des trous sous la roche puis enfonçaient des coins en bois et

les arrosaient copieusement pour les faire gonfler. A un moment donné, crac : la dalle se soulevait un peu. Vite, on introduisait un coin ou une cale. Et ainsi de suite, jusqu'à ce que le monolithe soit complètement libéré.

Seconde opération : le transport jusqu'au lieu de construction. Le trajet pouvait faire plusieurs kilomètres.

Comment s'y prendre pour traîner un boulet de plusieurs dizaines, voire d'une centaine de tonnes, en plein âge de la pierre ? Les préhistoriens d'aujourd'hui sont persuadés que les ingénieurs préhistoriques utilisaient le système D. Un jeu d'enfants, donc, ou plutôt une affaire de gros bras, de cordages et de troncs d'arbres. Les cordes étaient préparées à partir de fibres végétales, de longues racines souples de sapin, du lierre ou de longues lianes. On les trempait dans l'eau bouillante avant de les battre sauvagement pour les assouplir et de les séparer en brins pour les tresser. Ensuite, on construisait un chemin démontable : deux rails parallèles faits de troncs de chêne taillés avec des haches en pierre. Ce tapis roulant devait faire environ trois fois la longueur du bloc. Sur le chemin, un système de rouleaux était prévu avec des troncs réguliers d'un diamètre adapté à la charge. Le bloc glissait sur eux en les faisant rouler. On enveloppait le bloc dans un grand filet relié à des cordages parallèles de traction et de grands gaillards dirigeaient la manœuvre.

Combien fallait-il de gros bras pour tirer un fardeau d'une trentaine de tonnes ? Environ 200 hommes faisant à peu près 50 mètres dans une matinée. Pas d'animaux, alors ? Probablement pas, car il semblerait difficile d'obliger des bœufs à tirer une lourde charge en cadence.

Une fois sur place, une dernière opération délicate attendait les travailleurs : ajuster lentement la pierre sans glisser sur ces deux piliers et bien la caler. Il ne fallait pas qu'elle s'écroule à la moindre tempête. Une fois encore, les préhistoriques étaient les champions de la débrouille. Avec de grands leviers, un gros tronc de bois servant de point d'appui et un échafaudage en bois, le bloc se soulevait facilement.

■ Pourquoi nos ancêtres investissaient-ils tant d'efforts et de temps à concevoir et à élever ces monuments ? Si certains mégalithes semblent avoir été dédiés aux forces naturelles, la plupart d'entre eux étaient des tombes collectives. Toutefois, seuls les dirigeants politiques et religieux avaient le privilège de passer l'éternité en famille au milieu d'offrandes. Mais tout a une fin, même la construction des mégalithes, et avec l'arrivée de l'âge de fer, les hommes préhistoriques ont commencé à consacrer leur temps à d'autres activités.

Testez-vous

Etes-vous devenu(e) expert(e) en mégalithes? Pour le savoir, testez vos connaissances en répondant par a), b) ou c) aux questions qui suivent:

1. Les bâtisseurs de mégalithes vivaient il y a. . .
   a) 15 000 ans.
   b) 6 siècles.
   c) 6 mille ans.

2. On a découvert des mégalithes. . .
   a) au Luxembourg.
   b) sur l'île de Pâques.
   c) à New York.

3. Le mot mégalithe vient. . .
   a) du latin.
   b) de l'arabe.
   c) du grec.

4. Un mégalithe pouvait peser. . .
   a) 35 kilos.
   b) 350 tonnes.
   c) 3 500 grammes.

5. Pour sortir la pierre de son lit, on creusait une tranchée avec. . .
   a) des explosifs.
   b) des cornes de cerfs.
   c) une grue.

6. Pour transporter le mégalithe, on utilisait des cordes fabriquées avec. . .
   a) de la laine.
   b) du nylon.
   c) des fibres végétales.

7. Pour faire avancer le mégalithe, on construisait des rails. . .
   a) en bois de chêne.
   b) en aluminium.
   c) en fer.

8. Le bloc de pierre était enveloppé dans. . .
   a) un sac en plastique.
   b) une couverture.
   c) un grand filet.

9. Pour tirer un mégalithe d'une trentaine de tonnes, il fallait. . .
   a) 40 bœufs
   b) 200 hommes.
   c) 20 hommes.

10. Les mégalithes étaient souvent des tombes collectives pour. . .
    a) les chasseurs.
    b) les dirigeants.
    c) les condamnés à mort.

Menhirs de Carnac

Petit bilan de compétences en monuments préhistoriques:
● Si vous avez entre 8 et 10 bonnes réponses, vous êtes très compétent(e).
● Si vous avez entre 5 et 7 réponses exactes, pas de panique mais vous pourriez mieux faire.
● Si vous avez entre 3 et 5 réponses justes, relisez le texte, vous y trouverez des détails fascinants!
● Si vous avez répondu correctement à moins de 3 questions, de toute évidence vous ne vous intéressez pas aux mégalithes et vous avez bien tort.

Réponses: 1. c), 2. b), 3. c), 4. b), 5. b), 6. c), 7. a), 8. c), 9. b), 10. b).

LE RECYCLAGE

La présence des poubelles bleues dans un grand nombre de villes annonce l'ère du recyclage. Le papier, lui, représente un tiers de nos déchets ménagers et en le récupérant, on fait des économies importantes. Par exemple, si on recycle une tonne de papier, on économise dix-sept arbres sauvés de l'abattage, 20 000 litres d'eau, 30 kilos de polluants atmosphériques (dioxyde de soufre de carbone, poussières...) que les processus de fabrication ne libéreront pas dans l'air.

● La première grande opération de récupération a commencé à Dunkerque en 1989. Cette année-là, 45 000 « écopoubelles » sont distribuées. Les habitants apprennent à trier. D'un côté, leur poubelle habituelle pour mettre les « irrécupérables », juste bons à être incinérés, tels les déchets de salle de bains. De l'autre, une poubelle bleue, où chacun doit jeter séparément les « recyclables » : papiers et cartons, verre, bouteilles en plastique et boîtes de conserve. Deux ou trois fois par mois, cette poubelle bleue est ramassée, vidée, triée. Et son contenu est revendu à des usines spécialistes du recyclage du papier, verre, plastique ou métal.

● *Récupérer* est devenu aujourd'hui le mot-clé. Il était temps ! En effet, nos fabricants de papier manquent de papier car, malheureusement, la France n'a pas autant de forêts que le Canada, l'ex-URSS et la Scandinavie. Elle doit donc importer. De plus, dans le domaine du recyclage, elle est en retard.

LES ÉTAPES DU RECYCLAGE

1 Le papier et les cartons sont placés dans une poubelle spéciale recyclage.

2 Ils sont ensuite ramassés par des camions qui les transportent à l'usine de traitement du papier.

3 Le papier ainsi collecté est mis dans d'immenses cuves d'eau, puis il est brassé dans le but d'en séparer les fibres et d'enlever l'encre.

4 On fait passer le mélange papier-eau dans un épurateur pour enlever les agrafes, les plastiques, etc.

5 Après le stade d'épuration, on ajoute de nouveau de l'eau à la substance pour obtenir la pâte à papier.

6 On la fait alors couler dans la machine à papier qui fonctionne comme un véritable rouleau à pâtisserie.

7 Les feuilles de papier recyclé doivent finalement être séchées avant de sortir de l'installation.

Jeu: phrases dans le désordre

Les phrases suivantes décrivent les étapes du recyclage mais elles sont placées dans le désordre. Retrouvez la phrase qui correspond à chaque étape représentée sur le croquis. A chaque chiffre, faites correspondre la lettre qui convient.

a) On laisse sécher les feuilles de papier recyclé. Elles sont alors prêtes à être utilisées.

b) Le papier et les cartons sont mis dans une poubelle réservée au recyclage.

c) On met le papier dans de l'eau pour séparer les fibres et enlever l'encre.

d) On ajoute ensuite de l'eau au mélange qui vient de sortir de l'épurateur. C'est ainsi qu'on obtient la pâte à papier.

e) Le papier et les cartons sont transportés à l'usine pour être traités.

f) Le mélange papier-eau est passé dans un épurateur qui enlève les agrafes.

g) Pour obtenir des feuilles de papier, on fait passer la pâte sous des cylindres qui la presse.

Réponses : 1. b), 2. e), 3. c), 4. f), 5. d), 6. g), 7. a).

Les Tendances Familiales

La société bouge !

A la fin des années 90, tout semble montrer que la vie de famille est en pleine mutation : en France, un mariage sur trois se solde par un divorce (en 1996, 120 000 divorces ont été prononcés et on recensait plus de 1 600 000 foyers monoparentaux). Le nombre de couples qui choisissent de vivre en concubinage est en constante augmentation et un enfant sur trois naît en dehors du mariage. Les statistiques parlent d'elles-mêmes.

Au sein de la famille, la répartition des tâches domestiques est, elle aussi, en train de changer, même si cette évolution n'est pas aussi rapide qu'on pourrait l'espérer. Les décisions relatives au choix des vacances, ou à l'éducation des enfants, sont de nos jours prises à deux. Mais le couple s'en remet encore à l'avis du mari pour le choix de la maison, de l'équipement hifi-vidéo et de la voiture, alors que pour le choix des meubles, de la décoration intérieure et de l'électroménager on se rangera à celui de la femme. Les femmes s'occupent toujours d'une grande partie des tâches ménagères et il y a encore toutes les chances que ce soit le mari qui lave la voiture familiale ! La contribution aux tâches ménagères est de 4 heures 38 min. pour les femmes et de 2 heures 41 min. pour les hommes.

On est adolescent plus tôt que dans les générations précédentes, ce qui est dû à l'influence des médias mais aussi au fait que les familles sont plus ouvertes qu'elles ne l'étaient auparavant. C'est une génération qui est à l'écoute des autres et qui se sent concernée par les problèmes de société, le sort des démunis, l'environnement et le monde qui l'entoure. Les statistiques montrent que les causes les plus importantes aux yeux des 15–25 ans sont la prévention du sida (79%), la lutte contre la drogue (69%), l'aide aux malades et aux handicapés (49%) et la défense de l'environnement (49% également). Ils accordent une très grande importance aux valeurs comme le respect des autres (46%), l'honnêteté (44%) et la politesse (39%).

Baisse du nombre des mariages	
1960	320 000
1972	417 000
1993	254 000

Nombre de couples vivant en concubinage	
1962	310 000 (2,9 %)
1982	829 000 (6,3 %)
1995	1 707 000 (12,5 %)

 Interview

M. Duhamel travaille pour SRF, un institut de sondage qui étudie l'évolution de la société. Il fait un sondage sur la vie de famille.

M. Duhamel: Bonjour, je travaille pour SRF. Je fais une enquête sur l'évolution de la vie de famille. Est-ce que vous accepteriez de répondre à quelques questions ?

Mme Bonnier: Oui, bien sûr.

M. Duhamel: Vous êtes mariée... avec Henri... et combien d'enfants avez-vous ?

Mme Bonnier: Deux, une fille de 17 ans et un garçon de 14.

M. Duhamel: Qu'est-ce que vous faites dans la vie ?

Mme Bonnier: Je suis enseignante et Henri est informaticien.

M. Duhamel: En fait, ce qui m'intéresse avant tout c'est de savoir qui fait quoi dans la maison. Dites-moi, qui fait les courses et qui fait la cuisine ?

Mme Bonnier: Eh bien d'habitude, c'est moi qui fais la cuisine mais mon mari aime bien préparer un petit en-cas de temps en temps. Il fait très bien l'omelette aux fines herbes, vous savez ! Le plus souvent je fais aussi les courses : le supermarché est sur mon chemin quand je reviens du travail.

M. Duhamel: Et pour le reste des tâches ménagères ?

Mme Bonnier: Je fais tout le repassage et les travaux de couture, par exemple c'est moi qui recouds les boutons ! Mais quand il s'agit de mettre la table ou de remplir le lave-vaisselle, on se répartit les tâches. Parfois Henri lave les casseroles. Il lui arrive même de faire les vitres !

M. Duhamel: Et les enfants ? Est-ce qu'ils vous aident ?

Mme Bonnier: Oui bien sûr, j'allais oublier. Mon fils participe beaucoup. Il rentre le bois pour la cheminée et il passe l'aspirateur à ma place le week-end. En revanche, ma fille est plutôt paresseuse, mais elle m'aide quand même à faire la poussière.

Patricia Bonnier: Je ne suis pas paresseuse, j'ai beaucoup de devoirs à faire pour l'école cette année... et puis tu oublies que c'est moi qui vide le lave-vaisselle !

M. Duhamel: ... Eh bien, Patricia, venons-en à des choses moins terre à terre que les lave-vaisselle. Est-ce que vous pourriez me parler des jeunes de votre âge ? Par exemple, qu'est-ce qu'ils considèrent comme sujets importants à l'heure actuelle ?

Patricia: Je pense qu'ils sont comme moi, très concernés par les droits des jeunes. Et la lutte contre le racisme me paraît aussi essentielle.

M. Duhamel: Et qu'est-ce que vous pensez de l'environnement et des problèmes du tiers monde ?

Patricia: Bien sûr, ce sont des sujets très importants mais je pensais que vous vouliez parler de problèmes plus spécifiques à la France, comme les causes humanitaires ou l'action en faveur des banlieues... De façon plus générale, on ne peut pas oublier la prévention du sida et la lutte contre la drogue. Ce sont bien sûr des problèmes mondiaux mais ils touchent aussi très directement les jeunes en France.

M. Duhamel: Oui, évidemment...

---

1. Voici quelques affirmations sur les tendances familiales en France. Quatre erreurs s'y sont glissées. A vous de retrouver les quatre phrases qui sont fausses.

   a) Dans les années quatre-vingt-dix, tout semble indiquer que la vie de famille n'a pas vraiment changé depuis les années quatre-vingts.

   b) On constate que le nombre de couples qui choisissent de vivre en concubinage est en hausse.

   c) C'est surtout le mari qui décide où la famille va passer les vacances.

   d) Les décisions concernant le choix de la voiture familiale sont prises à deux.

   e) L'enfant devient adolescent plus tôt par rapport aux générations précédentes.

   f) Les adolescents sont plutôt indifférents aux autres.

   g) Ce qui préoccupe le plus les adolescents c'est la prévention du sida.

   h) Les adolescents n'accordent aucune importance au respect des autres.

2. Rédigez une lettre à Patricia dans laquelle vous lui direz comment sont réparties les tâches dans votre famille.

Réponses: a), d), f), h).

BLAGUES

Un maître d'école pose une question à ses élèves :
– Maintenant, que celui qui pense être le plus ignorant se lève !
Durant quelques instants, personne ne bouge. Mais un petit malin finit par se lever, au fond de la classe.
– Pourquoi t'es-tu dévoué ? lui demande l'instituteur.
– Parce que ça me faisait de la peine de vous voir comme ça, tout seul debout...

Un homme sortant d'un taxi demande :
– Combien vous dois-je ?
– 35 francs, Monsieur !
– Vous ne pouvez pas reculer un peu ? Je n'ai que 32 francs.

La maman d'Emilie lui dit de faire des économies. Quelques instants plus tard, Emilie lui dit : « Tu vois, maman, j'économise le pain. Je mets deux couches de confiture sur une seule tartine. »

Pourquoi les personnages de dessins animés n'ont-ils souvent que quatre doigts ?

Que vous soyez fans de Disney ou des Simpson, vous avez certainement remarqué qu'ils n'ont que quatre doigts ou, si vous préférez, trois doigts et un pouce. C'est dans les studios Disney que serait née cette étrange « coutume ». En fait à l'origine – bien avant l'utilisation de l'ordinateur et de l'image de synthèse – chaque seconde de dessin animé représentait un travail monumental pour le pauvre dessinateur qui devait fournir vingt-quatre dessins pour chaque seconde d'animation, et donc, très vite, l'habitude fut prise de réduire le nombre des doigts des personnages animaux, pour gagner du temps.

Mais il ne s'agit pas que d'une question de temps. En fait, lorsque l'on dessine un petit personnage (comme celui avec deux grandes oreilles et un short rouge pour ne pas le nommer), il est particulièrement difficile de dessiner une main à cinq doigts dont la taille n'ait pas l'air incroyablement démesurée. C'est ce qui explique pourquoi aujourd'hui encore malgré l'usage répandu de l'ordinateur, les mains de la plupart des personnages ont toujours un doigt en moins. Le privilège des cinq doigts fut donc dans les débuts de l'animation réservé aux personnages humains tels que Blanche-Neige ou Cendrillon.

Jeu: le mot caché

A l'aide des définitions ci-dessous, complétez la grille et vous trouverez dans la colonne verticale colorée en mauve le nom d'un célèbre conte de fée. (Notez que tous les mots figurent dans l'article ci-dessus.)

1. Le nombre de doigts dans une main.
2. Le contraire de grand.
3. L'auteur de célèbres dessins animés.
4. Il y en a 60 dans une minute.
5. Nombre qui précède le nombre cinq.
6. La plupart des personnages de dessins animés en ont quatre (ou si vous préférez trois et un pouce).
7. Célèbre personnage du dessin animé avec sept nains.
8. Partie du corps munie d'un organe qui permet d'entendre.
9. Autre nom pour le premier doigt, le plus gros, de la main.
10. Partie du corps dont on se sert pour prendre, manipuler les choses/objets.

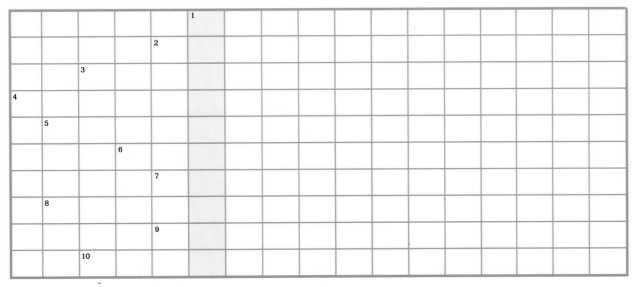

Réponse: Cendrillon.

1. *Cinq.* 2. *Petit.* 3. *Disney.* 4. *Secondes.* 5. *Quatre.* 6. *Doigts.* 7. *Blanche-Neige.* 8. *Oreille.* 9. *Pouce.* 10. *Main.*

Comment s'arrêter de fumer

Grâce aux campagnes anti-tabac et à l'interdiction de fumer dans les lieux publics, de plus en plus, les Français sont conscients des dangers de la cigarette. Mais le tabac fait encore des ravages dans la population et provoque 60 000 morts par an. Chaque année, un fumeur sur deux essaie d'arrêter de fumer. Pour réussir, il est nécessaire de lutter sur plusieurs fronts.

Ce que vous gagnerez en arrêtant

Vous fumez un paquet de cigarettes par jour (19 F en moyenne). En arrêtant, vous économiserez...

1 mois	**En un mois : 570 F** un bon dîner au restaurant
3 mois	**En trois mois : 1 710 F** un téléphone portable avec abonnement
6 mois	**En six mois : 3 420 F** un combiné télé-magnétoscope
9 mois	**En neuf mois : 5 130 F** une semaine au Kenya (une personne)
1 an	**En un an : 6 840 F** une semaine en Tunisie (deux personnes)

Les bonnes raisons d'arrêter

■ Le tabac réduit de huit ans l'espérance de vie.

■ Il est responsable de maladies cardio-vasculaires, de cancers du poumon, bien sûr, mais aussi du larynx, côlon ou vessie.

En s'arrêtant, on retrouve...

En huit jours:
du souffle, un teint de santé, une meilleure haleine et une odeur de non-fumeur.

En deux à trois semaines :
les cheveux sont vigoureux et brillants, l'odorat et le goût reviennent.

En quatre semaines :
les symptômes de la bronchite (toux) disparaissent et le système respiratoire s'améliore progressivement.

En cinq à dix ans, en moyenne, vous faites disparaître le risque de cancer, lié au nombre de cigarettes.

En France, les adolescents sont de moins en moins nombreux à fumer. Ils considèrent les non-fumeurs comme des personnes dynamiques alors que l'image du fumeur est celle d'une personne triste. Les très gros fumeurs sont rares parmi les jeunes, heureusement.

Si vous fumez vous-même, ou si vous vous inquiétez pour la santé de vos ami(e)s, voici un test qui vous permettra de savoir si le problème est sérieux.

Test

Êtes-vous dépendant ? (d'après Fägerström)

Êtes-vous un fumeur occasionnel, assez dépendant ou véritablement accro ? Pour le savoir, faites le test suivant.

■ Combien de cigarettes fumez-vous par jour ?
- de 10 :   0
de 10 à 25 :   1
+ de 25 :   2

■ Quel est le taux de nicotine de vos cigarettes ?
- de 0,8 mg :   0
de 0,8 à 1,5 mg :   1
+ de 1,5 mg :   2

■ Avalez-vous la fumée ?
Jamais :   0
Parfois :   1
Toujours :   2

■ Fumez-vous de façon plus rapprochée le matin que l'après-midi ?
Oui :   1
Non :   0

■ A quel moment fumez-vous votre première cigarette?
Dans la demi-heure qui suit le lever :   1
Plus tard :   0

■ Fumez-vous même si vous êtes malade (angine, grippe) ?
Oui :   1
Non :   0

■ Trouvez-vous difficile de ne pas fumer dans les endroits interdits (cinéma, métro...) ?
Oui :   1
Non :   0

Résultats du test

■ **De 0 à 3 points:** vous êtes peu dépendant.

■ **De 4 à 6 points:** vous êtes dépendant.

■ **7 points et plus:** vous êtes fortement dépendant.

SPOT/SDP

LE RECYCLAGE (2)

Rien de plus pratique n'a encore été trouvé pour transporter les courses : le sac plastique. Fabriqué en polyéthylène haute densité (PEHD), un matériau très résistant, il ne pèse que 5 g mais porte jusqu'à 2 000 fois son poids.

Il faut éviter absolument de le jeter dans la nature car, non seulement, il enlaidit le paysage mais il met du temps à se dégrader (plusieurs dizaines d'années).

Toutefois, il est possible de valoriser un sac en plastique après sa première utilisation. Pour cela, il y a deux méthodes possibles : le recyclage et la valorisation par incinération avec récupération d'énergie.

Pour le recyclage et la transformation en nouveaux matériaux il faut que les sacs soient récupérés en bon état et collectés séparément.

A l'heure actuelle, la méthode la plus utilisée est la valorisation énergétique : placés dans une poubelle, collectés par les éboueurs, les sacs en plastique sont brûlés et l'énergie procurée par la combustion d'un seul sac peut alimenter une ampoule de 60 watts pendant 10 minutes. Sur les 23 à 24 millions de tonnes de déchets ménagers produits chaque année, environ 40% sont incinérés dont plus de la moitié avec récupération d'énergie.

Un sac plastique peut produire de l'énergie

ALORS, TOUJOURS DANS LA POUBELLE ?

NON, NON, JE ME SUIS RECONVERTI DANS L'ÉCLAIRAGE !!

mâtt.

Activité: le bon mot

Voici quelques définitions. A vous de retrouver les mots-clés du texte.

1. Récipient en métal ou en matière plastique dans lequel on met les ordures ménagères: une – – u – – – – –.

2. Traitement de matériaux après un premier usage, dans le but de les réutiliser : le – – – y – – – – –.

3. Résidus inutilisables, en général sales ou encombrants : les – – – h – – –.

4. Partie en verre d'une lampe électrique : une – – p – – – –.

5. Employés chargés d'enlever les ordures ménagères, de vider les poubelles : les – b – – – – – –.

Réponses: 1. poubelle. 2. recyclage. 3. déchets. 4. ampoule. 5. éboueurs.

Interlude littéraire

Colette

Colette *(1873-1954)*

Gabrielle-Sidonie Colette, dite **Colette**, est née en 1873 en Bourgogne. Son père, officier de carrière et amputé d'une jambe, avait dû quitter l'armée pour devenir percepteur. Sa mère, jeune veuve qui avait déjà deux enfants d'un premier mariage, eut deux enfants avec le capitaine Colette, Léo et une petite fille qui deviendra le célèbre écrivain.

Une enfance heureuse à la campagne et une mère remarquable resteront des sources d'inspiration tout au long de la vie de Colette. A l'âge de dix-sept ans, à la suite des difficultés financières de son père, Colette doit quitter le paradis de son enfance qu'elle regrettera toujours. Mariée une première fois à vingt ans à un journaliste, elle accède à la vie parisienne et commence à écrire. C'est la série des *Claudine*. Divorcée, remariée, mère d'une petite fille, Colette s'intéresse au théâtre, au journalisme, travaille pour le cinéma et écrit de nombreux romans et pièces de théâtre. *Le Blé en herbe* paraît en 1923.

Le Blé en herbe

Le Blé en herbe se situe en Bretagne. Deux familles amies y vont depuis des années passer les grandes vacances. Leurs enfants, Philippe et Vinca – la Pervenche – , qui ont maintenant seize et quinze ans, ont toujours joué ensemble. Dans l'extrait qui suit et qui se situe dans les premières pages du roman, ils se retrouvent. C'est le début des vacances. « Toute leur enfance les a unis, l'adolescence les sépare ». En effet, leurs rapports sont devenus tendus et maladroits et ils ont du mal à communiquer comme avant.

... L'ombre de Phil obscurcit la flaque ensoleillée.

– Il n'insista pas et elle pêcha toute seule, impatiente, moins adroite que de coutume. Dix crevettes échappèrent à son coup de filet trop brusque...

– Phil ! Viens, Phil ! c'en est rempli, de crevettes, et elles ne veulent pas se laisser prendre !

Il approcha, nonchalant, se pencha sur le petit abîme pullulant :

– Naturellement ! c'est que tu ne sais pas...

– Je sais très bien, cria Vinca aigrement, seulement je n'ai pas la patience.

Phil enfonça le havenet dans l'eau et le tint immobile.

– Dans la fente du rocher, chuchota Vinca derrière son épaule, il y en a de belles, belles... Tu ne vois pas leurs cornes ?

– Non. Ça n'a pas d'importance. Elles viendront bien.

– Tu crois ça !

– Mais oui. Regarde.

Elle se pencha davantage, et ses cheveux battirent, comme une aile courte et prisonnière, la ▶▶

⟩⟩ joue de son compagnon. Elle recula, puis revint d'un mouvement insensible, pour reculer encore. Il ne parut pas s'en apercevoir, mais sa main libre attira le bras nu, hâlé et salé, de Vinca.

– Regarde Vinca... La plus belle, qui vient...

Le bras de Vinca, qu'elle déroba, se glissa jusqu'au poignet dans la main de Phil comme dans un bracelet, car il ne le serrait pas.

– Tu ne l'auras pas, Phil, elle est repartie...

* * *

Ils nageaient côte à côte, lui plus blanc de peau, la tête noire et ronde sous ses cheveux mouillés, elle brûlée comme une blonde, coiffée d'un foulard bleu. Le bain quotidien, joie silencieuse et complète, rendait à leur âge difficile la paix et l'enfance, toutes deux en péril. Vinca se coucha sur le flot, souffla comme un petit phoque. Le foulard tordu découvrait ses oreilles roses et délicates, que les cheveux abritaient pendant le jour, et des clairières de peau blanche aux tempes qui ne voyaient la lumière qu'à l'heure du bain. Elle sourit à Philippe, et sous le soleil d'onze heures le bleu délicieux de ses prunelles verdit un peu au reflet de la mer. Son ami plongea brusquement, saisit un pied de Vinca et la tira sous la vague. Ils « burent » ensemble, reparurent, crachant, soufflant, et riant comme s'ils oubliaient, elle ses quinze ans tourmentés d'amour pour son compagnon d'enfance, lui ses seize ans dominateurs, son dédain de joli garçon et son exigence de propriétaire précoce.

– Jusqu'au rocher ! cria-t-il en fendant l'eau.

Mais Vinca ne le suivit pas, et gagna le sable proche.

– Tu t'en vas déjà ?

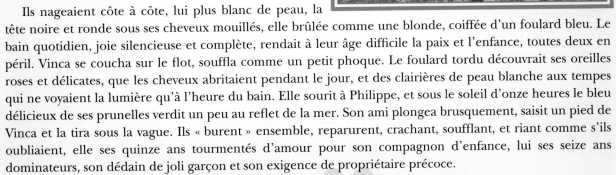

AVEZ-VOUS UNE BONNE MÉMOIRE?

1. Un VTT, c'est...
   a) un vélo tout terrain.
   b) un vrai train tranquille.
   c) un vinaigre très toxique.

2. Un mégalithe, c'est...
   a) une lumière géante.
   b) une énorme pierre préhistorique.
   c) une pyramide égyptienne.

3. En 1995, le nombre de couples vivant en concubinage représentait...
   a) 2,1% de la population française.
   b) 23% de la population française.
   c) 12,5% de la population française.

4. En France, chaque année, le tabac est responsable de...
   a) 6 000 000 de morts.
   b) 60 000 morts.
   c) 60 morts.

5. Il ne faut pas jeter votre sac en plastique car...
   a) il peut alimenter un animal domestique pendant 10 minutes.
   b) le polyéthylène haute densité est trop léger pour faire les courses.
   c) il est possible de l'incinérer avec récupération d'énergie.

6. *Le Blé en herbe* est un roman de...
   a) Simone de Beauvoir.
   b) Emile Zola.
   c) Colette.

7. Fumer...
   a) est très bon pour le cœur.
   b) est dangereux pour la santé.
   c) fait pousser les ongles.

8. Les crêpes et les galettes sont une spécialité...
   a) savoyarde.
   b) provençale.
   c) bretonne.

9. La plupart des mégalithes étaient...
   a) des salles à manger.
   b) des tombes collectives.
   c) des ponts.

10. Dans un dessin animé, pour chaque seconde, il fallait...
    a) 24 dessins.
    b) 50 dessins.
    c) 12 dessins.

Réponses: 1. a), 2. b), 3. c), 4. b), 5. c), 6. c), 7. b), 8. c), 9. b), 10. a).

3 Unité

Aquitaine

Château et vignoble bordelais

La salle du Grand Dôme, Gouffre de Padirac

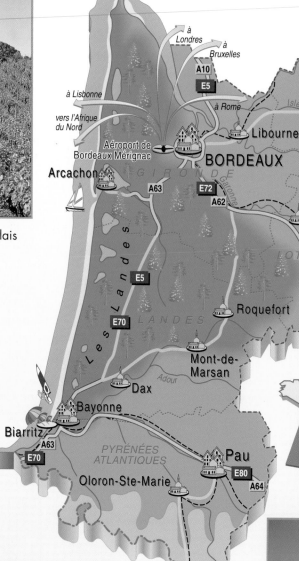

à Londres

à Bruxelles

A10

E5

à Lisbonne

à Rome

vers l'Afrique du Nord

Aéroport de Bordeaux Mérignac

Libourne

DORDOGNE

Périgueux

Dronne

Isle

Vézère

E70

Bergerac

Sarlat

Dordogne

BORDEAUX

Arcachon

GIRONDE

A63

E72

Garonne

A62

Marmande

Lot

Villeneuve

LOT-ET-GARONNE

Agen

Les Landes

E5

LANDES

E70

Roquefort

Mont-de-Marsan

Dax

Adour

Bayonne

Biarritz

A63

E70

PYRÉNÉES ATLANTIQUES

Pau

E80

A64

Oloron-Ste-Marie

Truffes et foie gras du Périgord gastronomique

La Dune du Pyla, Bassin d'Arcachon

Le tourisme en Aquitaine

1 La Dordogne et le Périgord enregistrent annuellement un nombre croissant de touristes. En vous basant sur les cartes et les citations, écrivez huit phrases pour expliquer les attractions touristiques de la région.

''Mille et un châteaux.''

''Les estomacs de l'Hexagone votent Périgord sans hésitation.''

''Les Eyzies, capitale mondiale de la préhistoire.''

''Puis, il y a les circuits de l'architecture; vous aurez du boulot pour tout voir et tout découvrir. Super!''

''Les viticulteurs, très nombreux dans la région, vous accueilleront toujours avec le sourire. Partout on vous fera déguster du vin.''

''Pour les canoéistes, ces rivières offrent de multiples possibilités.''

''Les mots «douceur» et «harmonie» reviennent comme des leitmotivs dans les discours des étrangers séduits par les paysages.''

''Variant de 25° à 33° l'été, les températures empruntent tantôt à l'humidité de l'Atlantique, tantôt à la sécheresse continentale.''

La migration démographique

John Townsend va pouvoir réaliser un rêve. Sa femme et lui ont décidé de s'installer en France. Ils envisagent de chercher une maison dans le sud-ouest. C'est une région qu'ils connaissent assez bien, car ils y ont passé leurs vacances d'été plusieurs fois. Aidés par leur fille aînée, Helen, ils écrivent à des agences immobilières pour se renseigner sur les propriétés à vendre.

2 L'appel, c'est ce par quoi commence une lettre. Elle se termine par une formule de politesse. Dans le tableau ci-dessous, faites correspondre l'appel avec la formule de politesse qui convient.

L'appel	La formule de politesse	L'appel	La formule de politesse
1. Madame,	**(a)** Je pense à toi, Didi	**5.** Monsieur le Président de la République,	**(e)** Baisers, Jean-Pierre
2. Monsieur,	**(b)** Veuillez agréer, Monsieur le Président de la République, l'hommage de mon profond respect.	**6.** Cher toi,	**(f)** Veuillez agréer l'expression de mes sentiments dévoués. M. Duverger
3. Cher Jacques,	**(c)** Grosses bises, Sophie	**7.** Mon amour,	**(g)** Recevez, Madame, l'assurance de mon entier dévouement. E. Zola
4. Ma chère petite maman,	**(d)** Cordialement, Jean-Luc		

3 Helen Townsend a fait le brouillon de la lettre qui sera envoyée à des agences immobilières en France. Remplissez les blancs indiqués par des tirets en choisissant dans la liste ci-dessous les mots qui conviennent. Ensuite, conjuguez les verbes qui vous sont donnés entre parenthèses. Faites attention, vous aurez essentiellement du conditionnel et du futur.

convenir remerciements propriété gamme maison
quartier dépasser reconnaissant terrain

Ayant décidé pour des raisons professionnelles et familiales de m'installer dans le sud-ouest de la France, je (*vouloir*) acheter une _____ dans la région.

J'ai besoin d'une maison de 6 pièces au moins et d'un _____ attenant d'environ 5 000 m². La _____ (*devoir*) être située à la campagne ou dans un _____ calme d'une petite ville. La maison (*être*) située de préférence dans un rayon de 50 kilomètres autour de Bordeaux ou de Bergerac.

Une maison à restaurer (*pouvoir*) _____, mais elle (*devoir*) être équipée d'une cuisine et d'une salle de bains en assez bon état. Les chambres quant à elles (*être*) habitables.

Le prix de la propriété ne devrait pas _____ 500 000 francs.

Si vous aviez quelque chose à me proposer dans cette _____ de propriétés je vous serais _____ de me faire parvenir des détails par téléphone.

Avec mes _____, veuillez agréer, Monsieur, toute ma considération.

John Townsend

John Townsend

Les verbes *devoir, vouloir, pouvoir*, employés au conditionnel

Devoir

Au présent, ce verbe exprime la nécessité ou l'obligation:

> **Je dois** *partir immédiatement sinon je vais rater mon avion. (I must . . .)*
> **Il doit** *payer une amende, c'est le règlement. (He must . . .)*

Au conditionnel, l'obligation est atténuée (par souci du respect dû à l'interlocuteur):

> **Vous devriez** *prendre des vacances. (You should . . .)*
> *S'il veut trouver une maison en France*, **il devrait** *écrire à mon cousin qui travaille dans une agence immobilière. (He should, he ought . . .)*

Pouvoir

Au présent, ce verbe exprime la possibilité/permission:

> **Elle peut** *venir avec nous demain puisqu'elle ne travaille pas.*

Au conditionnel, la possibilité est atténuée:

> *En principe, je l'attends pour demain mais* **il pourrait** *arriver ce soir. (He might . . .)*

Vouloir

Au présent, ce verbe exprime la volonté:

> *Je* **veux** *voir le directeur maintenant et je ne partirai pas avant de lui avoir parlé.*

Au conditionnel, la volonté est atténuée (pour être plus poli):

> *Je* **voudrais** *parler au directeur, s'il vous plaît.*
> *Nous* **voudrions** *vous inviter à dîner.*

On recherche une propriété

 4 Une agence a envoyé aux Townsend les détails de quelques propriétés situées en Lot-et-Garonne. Ecoutez les messages enregistrés sur le répondeur et remplissez les blancs avec les mots qui conviennent.

(a) C'est une grande maison . . . en . . . . Il est . . . de faire quelques . . . . La maison est . . . à . . . .

(b) Cette maison sur une . . . . . . a une belle vue sur la Garonne. Elle se trouve à . . . de Marmande.

(c) C'est une . . . qui se . . . à . . . de Marmande. Le . . . est . . . et . . . d'. . . .

(d) C'est une . . . de . . . . Elle a été . . . en 1990 sur un sous-sol à . . . .

5 Voici les quatre annonces que l'agence immobilière a envoyées aux Townsend.

Annonces

1

Grande maison en pierres à rénover. 5 km Casteljaloux, sur 4 500 m² de terrain, rez-de-chaussée, grand séjour, salon, cuisine équipée avec grande cheminée, quatre chambres, sdb, chauffage électrique, à l'étage pièces à terminer. 500 000 F.

2

Particulier vend sur colline près de Marmande, terrain environ 1 ha, avec bâtiment en dur, 8 m de large, 11 m de long, aménageable habitation et agrandissement jusqu'à 40 m², 160 000 F ou échange contre massif boisé même valeur, peupliers, pins, chênes.

3

Marmande villa, 3 mn centre et gare, 2 mn autogare, grand terrain boisé, puits, rez-de-chaussée surélevé 140 m², F5, séjour, cheminée, 5 chambres, sdb, double vitrage, chauffage gaz de ville, 40 m² de garage, fosse, atelier, 650 000 F. Tél: 53.56.96.00 ou répondeur.

4

Sélection de la semaine: Près du centre de Marmande, très belle maison récente de grand standing, 2 salons, 4 chambres, construction de 1990 sur sous-sol semi-enterré. Produit de qualité méritant une visite. 600 000F.

Après avoir lu les annonces, M. Townsend a rejeté tout de suite trois des quatre maisons. Ecrivez une phrase pour expliquer pourquoi il a rejeté chacune de ces trois maisons.

 **Rappel**

à + infinitif, complément du nom

Dans les exemples qui suivent, **à + infinitif** sert de complément du nom et signale ce que l'on peut faire ou doit faire par rapport au nom:

*Maison **à vendre** (House for sale)*
*Appartement **à louer** (Flat to let)*
*Grande maison **à rénover***
*Ancien château **à restaurer***

*La maison est **à vendre**.*
*L'appartement est **à louer**.*
*Ce devoir est **à refaire**!*

*Il y a de nombreux sites préhistoriques **à visiter**.*
*A Tursac, il y a un pèlerinage **à entreprendre**.*
*Les Anglais ont bien saisi les créneaux **à exploiter**.*

---

6 Helen Townsend écrit à sa correspondante (Sophie Tournand) qui habite en Lot-et-Garonne. Elle explique le projet de ses parents. Imaginez que vous êtes Helen et écrivez cette lettre.

7 Sophie Tournand doit répondre à la lettre de Helen Townsend pour décrire en détail une maison qui pourrait convenir à ses parents (voir ci-dessous). Ecrivez cette lettre avec la description de la maison.

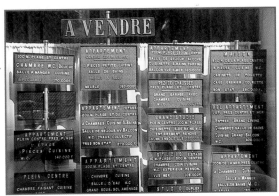

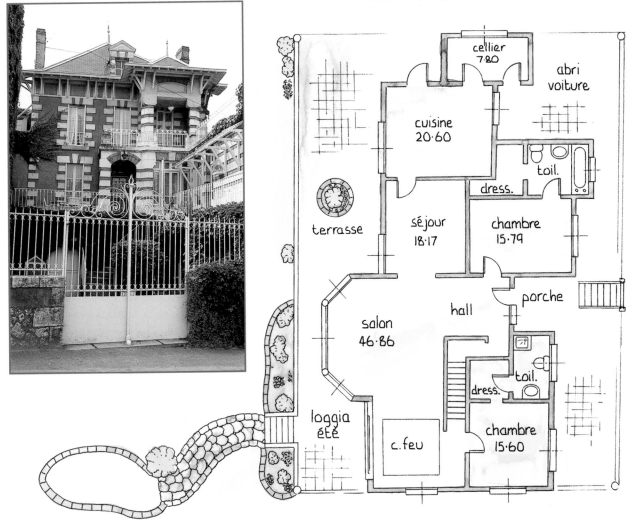

 8 Maintenant, Sophie visite une maison à Marmande. Elle parle au propriétaire. Ecoutez l'enregistrement en vous aidant du texte ci-dessous. Puis, faites les exercices qui suivent le texte.

Propriétaire: Bon, nous y voilà. C'est un endroit calme et le cadre est agréable.

Sophie: De l'extérieur, cela correspond tout à fait au genre de propriété qui plairait à mes amis mais bien sûr il faut voir l'intérieur. La maison est vide depuis quelques mois à ce qu'on m'a dit.

Propriétaire: Oui, en effet je viens de l'hériter de ma vieille cousine et bien entendu, il y aura quelques travaux à faire. Ce qui est appréciable, c'est que tout en ayant été un peu modernisée, la propriété a gardé un cachet particulier. Alors, vous avez ici le salon qui donne sur le jardin derrière. Il est exposé plein sud et vous avez une vue superbe sur la vallée. Au fond, vous n'avez qu'une rangée de maisons mais elles sont en contrebas donc elles ne dominent pas.

Sophie: Ah oui, vous avez raison. Le salon est, en effet, très spacieux. La cheminée, marche-t-elle au bois?

Propriétaire: Oui, c'est cela. Elle a toujours très bien chauffé, même en plein hiver. Et là, juste à côté, vous avez un petit espace discrètement aménagé pour y mettre le bois.

Sophie: Est-ce suffisant pour se chauffer en hiver?

Propriétaire: Tout à fait. Vous savez, ici l'hiver ne dure pas longtemps et en plus, il n'est pas très rigoureux. Par contre, un nouveau propriétaire voudra peut-être installer le chauffage central, soit au gaz soit à l'électricité.

Sophie: Oui, vous avez raison. De nos jours, les gens aiment bien leur confort!

Propriétaire: C'est certain et ils veulent aussi une maison facile à entretenir. Or, justement, au rez-de-chaussée, tous les sols sont en carrelage et, comme vous pouvez le constater, en très bon état. Par contre, les peintures sont à refaire et dans certaines pièces les tapisseries sont un peu démodées. Mais dans l'ensemble, les murs sont solides et le plâtre est bon donc il ne s'agit pas de faire de gros travaux.

Sophie: Et les poutres au plafond, c'est du vrai bois ou de l'imitation?

Propriétaire: Non, non, c'est du bois et là encore, c'est une affaire de goût. Une couche de peinture suffirait mais il est certain que, aujourd'hui, on a tendance à préférer l'aspect du bois. Ces solives pourraient être grattées et poncées et peut-être même vernies, ce qui leur redonnerait l'aspect du neuf. . . . Alors, passons maintenant à la cuisine qui communique avec la salle à manger. Vous avez une très grande fenêtre qui donne sur le sud-ouest et qui apporte beaucoup de clarté. Le carrelage, ici aussi, est en bon état et comme vous le voyez, il y a quelques placards là sur ce mur et en-dessous de l'évier. A côté de la porte, vous avez un placard pour les balais et les produits d'entretien. Ceci dit, il est vrai que la cuisine pourrait être mieux équipée et qu'elle a besoin d'être entièrement refaite. Comme elle est assez grande, il y a de la place pour y mettre un lave-vaisselle, un congélateur ainsi que de nombreux éléments et une grande table de travail. Elle pourrait être aménagée soit dans un style moderne, soit dans un goût plus rustique avec des éléments de bois typique de la région.

Sophie: Je vois que la cuisine donne sur le jardin de derrière . . .

Propriétaire: Exactement, et vous avez, sur le côté gauche, tout de suite en sortant de la cuisine, une petite bordure réservée à quelques plantes aromatiques. L'autre porte ici donne sur le couloir qui mène au fond, à droite, à une chambre et, à gauche, à la salle de bains d'en bas. Le parquet de la chambre est en chêne verni. La pièce est habitable comme elle est et je suppose qu'on pourrait l'utiliser comme bureau. . . . La salle de bains, en revanche, aurait bien besoin d'être modernisée en ajoutant, par exemple, une douche au-dessus de la baignoire et quelques placards ou autres accessoires modernes.

Sophie:	Et les toilettes?
Propriétaire:	Ah! les WC sont là, entre la chambre et la salle de bains.
Sophie:	Y en a-t-il en haut aussi?
Propriétaire:	Oui, et vous avez déjà une douche moderne. Montons si vous voulez! L'escalier est tout simple, en bois du pays. Il faudra peut-être réparer les marches qui grincent et vérifier l'état de la rampe. Voilà, nous arrivons aux deux chambres de part et d'autre du palier, et, plus au fond, un espace aménagé sous les combles et qui pourrait servir de salle de jeux.
Sophie:	Tiens, les chambres sont spacieuses!
Propriétaire:	Oui, il faudra soit repeindre soit retapisser. La première chambre, la plus grande, donne sur le sud-est. Notez qu'elle est bien équipée de placards en bois. L'autre chambre a un petit placard dans le mur qui est très pratique mais il faudra sans doute ajouter une armoire ou deux. Mis à part la douche, les installations sanitaires ont besoin d'être complètement refaites.
Sophie:	Depuis le premier étage, le jardin a l'air d'être assez grand et la vue sur les collines est magnifique. Y a-t-il un garage?
Propriétaire:	Oui bien sûr, redescendons et vous verrez le sous-sol avec garage, cave, un endroit pour les chaussures et une pièce genre débarras mais qui pourrait être aménagée en buanderie.
Sophie:	Le jardin derrière fait face au sud?
Propriétaire:	Au sud-ouest, disons. Et on peut passer d'agréables moments sous la véranda. Il y aura quelques petites réparations à faire comme, par exemple, remplacer un ou deux carreaux cassés. Le jardin est bien approvisionné en arbres fruitiers et en arbustes et vous avez même un coin pour les légumes. Donc vous voyez, c'est une propriété qui offre d'excellentes possibilités.

(a) Trouvez dans le texte:
- huit adjectifs qui décrivent la propriété d'une façon favorable;
- sept verbes qui décrivent ce que l'on fait quand on fait du bricolage dans une maison.

Le discours rapporté

1 Quand vous rapportez ce qui a été exprimé précédemment au discours direct (ici et maintenant) il faut changer le temps des verbes.

Exemples:

*"La propriété **se trouve** à 2 km de la gare"* →
*Il a dit que la propriété **se trouvait** à 2 km de la gare.*

*"**J'ai** déjà **payé** la facture"* →
*Il a dit qu'**il avait** déjà **payé** la facture.*

*"La maison **n'est pas** à vendre"* →
*Il a dit que la maison **n'était pas** à vendre.*

*"**Il faudra** certainement tailler les arbres"* →
*Il a dit qu'**il faudrait** certainement tailler les arbres.*

2 Les expressions temporelles (**hier**, **demain** etc.) doivent subir aussi une transformation:

Discours direct		Discours rapporté
maintenant	→	à ce moment-là
aujourd'hui	→	ce jour-là
hier	→	la veille
demain	→	le lendemain
le mois prochain	→	le mois suivant
le mois dernier	→	le mois précédent

(b) Transposez les énoncés qui suivent en discours rapporté. Pour commencer la phrase choisissez, à partir de la liste ci-dessous, le verbe qui semble convenir le mieux.

Il a dit que . . .
Il a expliqué que . . .
Il a avoué que . . .

Exemple:

''Le jardin n'est pas en très bon état'' →
Il a avoué que le jardin n'était pas en très bon état.

1 ''Il y aura quelques travaux à faire.''
2 ''La propriété a été modernisée mais elle a gardé un cachet particulier.''
3 ''La cheminée marche au bois. Elle a toujours bien chauffé.''
4 ''Il sera facile d'installer le chauffage central.''
5 ''Je vais refaire toutes les peintures moi-même.''
6 ''Dans l'ensemble, la maison est en très bon état.''
7 ''La cuisine a besoin d'être entièrement refaite.''
8 ''La salle de bains a besoin d'être modernisée.''
9 ''Je vais mettre une douche au-dessus de la baignoire.''
10 ''Il faut réparer les marches de l'escalier.''
11 ''J'ai retapissé la chambre à coucher.''
12 ''Il y a de magnifiques vues sur la vallée.''
13 ''L'hiver ici ne dure pas longtemps: le climat est assez doux.''
14 ''Les murs sont très solides.''
15 ''J'ai installé un nouveau chauffe-eau dans la salle de bains le mois dernier.''
16 ''Le plombier viendra demain pour réparer la chasse d'eau.''
17 ''Malheureusement, le jardin n'est pas en très bon état.''
18 ''Le jardinier vient aujourd'hui pour nettoyer les parterres.''
19 ''J'irai à l'agence immobilière ce soir pour tout régler.''
20 ''L'agence immobilière m'a téléphoné hier.''

(c) Ayant visité la maison à vendre, Sophie Tournand écrit une lettre aux Townsend dans laquelle elle énumère les réparations que le propriétaire suggère de faire. Rédigez cettre lettre.

9 Maintenant, Sophie Tournand écrit aux Townsend pour leur donner quelques renseignements sur Bergerac. Lisez bien la lettre, puis faites les exercices qui la suivent.

Chers amis,

Je suis ravie d'apprendre que vous allez peut-être venir vous installer à Bergerac. Si vous vous décidez, je suis sûre que vous ne le regretterez pas car vous verrez que c'est une ville agréable sur bien des plans.

(1) _____, du point de vue géographique, Bergerac est situé à 80 km à l'est de Bordeaux et à une quarantaine de kilomètres au sud-ouest de Périgueux. (2) _____, non seulement on n'est pas très loin de ces grandes villes (3) _____ on a l'avantage d'être un peu retiré des grands centres sans être isolé. Evidemment, le climat à Bergerac est très clément la plupart du temps : l'été, il fait généralement très beau et les températures dépassent souvent les 30 degrés. C'est (4) _____ pour cela que la région est favorable à la viticulture. Tout le monde connaît, bien sûr, les grands crus bordelais mais vous verrez qu'à Bergerac, on a également de très bons vins.

A mon avis, la ville elle-même est attrayante. Elle est (5) _____ très commerçante avec des magasins de toute sorte. Le soir, on peut flâner sur les rives de la Dordogne et trouver des cafés et des restaurants sympathiques. (6) _____, le vieux Bergerac est particulièrement pittoresque avec ses maisons de la Renaissance et en été, on s'y attarde volontiers pour profiter des animations folkloriques et des concerts en plein air.

(7) _____, Bergerac n'est pas une très grande ville et on peut, sans problème, trouver une propriété en banlieue, ou même disons un peu à la sortie de la ville. On a (8) _____ l'avantage d'être près du centre, pour se rendre au travail ou pour aller faire des courses, et en même temps on peut profiter des avantages qu'offre la campagne environnante. Au nord-est, en particulier, il y a des forêts et de jolies petites vallées. Et tout autour de Bergerac, il ne manque pas de villages et de châteaux qui valent le détour.

(9) _____, comme vous le voyez, Bergerac est certainement une ville plutôt privilégiée. (10) _____, on y trouve des maisons à des prix abordables par rapport à Bordeaux ou à d'autres villes du sud. La région n'est pas desservie par des autoroutes ou un aéroport international, (11) _____ je dirais que c'est ce qui fait son charme car on n'est pas envahi par des hordes de touristes.

(12) _____, pour vous donner une meilleure idée de la ville et des environs, je joins à ma lettre quelques dépliants que j'ai demandés à la Maison du Tourisme. Bien entendu, si vous voulez vous faire une idée plus précise de la ville et de la région, pourquoi ne pas venir passer quelques jours chez nous ? Naturellement, je pourrai prendre quelques jours de congé pour vous faire visiter les endroits les plus intéressants et si on a le temps, je vous emmènerai dans un ou deux petits restaurants que je connais. Vous aurez (13) _____ l'occasion d'apprécier notre cuisine régionale.

En attendant avec impatience le plaisir de vous revoir, je vous embrasse bien amicalement.

A bientôt

Sophie

(a) **Remplissez les blancs avec le mot charnière qui convient.**

1 (i) Finalement (ii) Tout d'abord (iii) Ensuite
2 (i) Donc (ii) Cependant (iii) En tout cas
3 (i) pour conclure (ii) mais (iii) puis
4 (i) d'ailleurs (ii) ainsi (iii) aussi
5 (i) notamment (ii) également (iii) de toute façon
6 (i) Par exemple (ii) D'autre part (iii) En outre
7 (i) Pourtant (ii) De plus (iii) Puis
8 (i) peut-être (ii) donc (iii) premièrement
9 (i) Deuxièmement (ii) En fait (iii) Ainsi
10 (i) Bientôt (ii) Néanmoins (iii) Ensuite
11 (i) mais (ii) car (iii) puisque
12 (i) En fin de compte (ii) Enfin (iii) Bien que
13 (i) toutefois (ii) pourtant (iii) ainsi

(b) Indiquez, en mettant 'oui' ou 'non' dans la deuxième colonne, si les phrases de la colonne de gauche correspondent au sens du texte. Si le sens ne correspond pas, expliquez pourquoi dans la colonne de droite.

(c) Trouvez dans la lettre les termes qui indiquent l'attitude de la personne qui écrit.

Phrase	Oui/Non	Raison(s)
Si on les compare avec celles de Bordeaux, les propriétés de Bergerac coûtent plutôt cher.		
Sophie a proposé aux Townsend de partir en vacances avec eux.		
Les vins de Bergerac sont les plus célèbres de la région.		
A Bergerac, on peut découvrir de vieilles maisons dans un quartier très joli.		
Bergerac n'est pas la plus grande ville de l'Aquitaine mais elle ne se trouve quand même pas dans un endroit très isolé.		
Bergerac est une ville située sur les rives de la Dordogne mais la rivière ne présente que peu d'intérêt touristique.		
La région est propice à la culture des vignes.		

Rapport d'un voyage

10 **Les Townsend sont allés en France pour visiter quelques maisons dans la région de Bergerac. Leur voiture est tombée en panne et ils ont dû prendre l'avion pour retourner en Angleterre. Helen Townsend fait le rapport du voyage. Regardez le tableau et la carte à la page 81 et et rédigez le rapport comme si vous étiez Helen.**

Date	de	à		km	moyen de transport
Lundi 6 juin	Londres	Folkestone	🍽️🌙	80	autoroute
	Folkestone	Calais		30	rail, tunnel
	Calais	Paris	🛏️	298	autoroute
Mardi 7 juin	Paris	Orléans		130	autoroute
	Orléans	Tours	☕	107	autoroute
	Tours	Bordeaux	🛏️	409	autoroute
	Bordeaux	Bergerac		112	route
Samedi 11 juin	Bergerac	Bordeaux, Mérignac		112	autobus
	Mérignac	London, Heathrow	✈️	460	avion
	Heathrow	Finchley		20	taxi

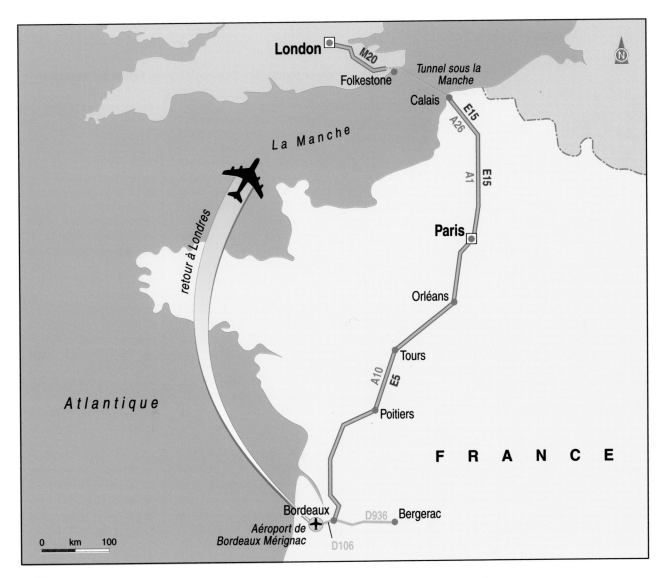

L'accord du participe passé

1 Le participe passé des verbes conjugués avec
l'auxiliaire **être** s'*accorde avec le sujet*.

Exemples:

Béatrice est partie à la plage.
Béatrice et Sandrine sont allées au cinéma.

2 Le participe passé des verbes conjugués avec
l'auxiliaire **avoir** s'accorde avec le complément
d'objet direct *si celui-ci est placé avant le verbe*.

Exemples:

La pomme que Sandrine a mangée était verte.
Les lettres qu'il a envoyées sont bien arrivées.

Si le complément d'objet direct est placé *après
le verbe* le participe passé ne s'accorde pas.

Exemples:

Sandrine a mangé une pomme qui était verte.
Béatrice a appris sa leçon.

3 Tous les verbes réfléchis se conjuguent avec le
verbe **être**.

Exemples:

Elle s'est lavée.
Ils se sont promenés.

Le flux des étrangers

Etudiez bien le texte pour en comprendre l'essentiel, puis faites les exercices qui le suivent.

Les étrangers à la rescousse

Si l'agriculture en Dordogne a subi de grandes transformations, il en est de même pour le monde rural en général. *La chute démographique* atteint dans certaines zones *un seuil* critique. Après l'école, voilà le bistrot, l'épicerie, la poste qui ferment, lorsque ce n'est pas l'église. Les élus ont beau *se décarcasser*, il n'y a guère de solution miracle. En Dordogne, la natalité ne couvre pas la mortalité.

● Le seul espoir pour les campagnes est bien de *séduire* les *citadins*, mais aussi les étrangers. La revitalisation du milieu rural passe souvent par eux. Il suffit par exemple d'ouvrir le bottin à la page de Bouteilles-Saint-Sébastien, à côté de Riberac, pour comprendre que, sans les Anglais, cette commune serait *quasiment* rayée de la carte. Et si depuis 1975, la démographie *se redresse* doucement, c'est bel et bien dû à *un solde migratoire positif*, c'est-à-dire à tous ces étrangers qui ont choisi de vivre ici.

● Dans les années 60-70, les Anglais, *excédés* par la vie citadine, ont commencé à *acquérir* en Dordogne des résidences secondaires. Cette tendance, après avoir été *freinée* par le choc pétrolier et la crise économique qui s'ensuivait, s'est confirmée à partir de 1987. D'autant qu'alors, le prix de *l'immobilier* et les taux d'intérêts *flambaient* en Grande-Bretagne. A ces raisons très *prosaïques*, *se greffe* un Périgord aux villages désertés mais aux potentialités touristiques encore importantes.

Le profil de ces étrangers est actuellement de plus en plus *diffus*. Si le nombre de retraités reste *conséquent*, il n'est plus aussi prédominant qu'au début de la migration. De plus en plus de jeunes s'installent en Périgord, pour y vivre et pour y travailler. De l'hôtellerie au camping, en passant par les agences immobilières, *les prestations de service* et l'agriculture, Anglais et Hollandais ont bien saisi *les créneaux* à exploiter.

● Leur présence n'est bien sûr pas indifférente au destin de la Dordogne. Elle offre en premier lieu un avantage certain. *Privilégiant* les petits villages, *ces amateurs de vieilles pierres* redonnent vie à des maisons qui couraient sans eux à la ruine et à des zones oubliées de tous. Ce *constat* ne doit cependant pas cacher une autre réalité qui touche cette fois aux mentalités. Si les Périgourdins ont en effet un sens de l'hospitalité *sans borne*, ils se refroidissent facilement lorsqu'ils voient des étrangers s'installer avec une volonté plus ou moins consciente de changer les choses.

● Vendre une ferme et *son lopin de terre* à un Hollandais, c'est ouvrir la porte à *la concurrence*. Etre obligé pour vendre de passer par une agence immobilière anglaise, parce qu'il n'y a effectivement plus qu'un étranger qui accepterait de vivre là, cela *frise* l'inconvenance. Voir en plus s'implanter un camping, *une auberge à la ferme*, une aire de loisirs, là où le maïs poussait à merveille, c'est difficilement supportable, *hormis* pour les professionnels *du bâtiment* … Et n'allez pas croire que seuls les agriculteurs *en attrapent des boutons* ! Même *les notaires* ont manifesté leur inquiétude en constatant le nombre de tractations qui leur échappaient.

● Ce n'est pas la première fois que les émigrés apportent un peu de sang neuf en Dordogne. Le mouvement s'est fait jour dès les années trente, avec un flux venu de Pologne, sans parler des quelque 4 000 Italiens et 1 000 Espagnols fuyant le fascisme. Mais la vague la plus impressionnante a, sans conteste, été celle des Alsaciens en 1939, au moment de la déclaration de guerre, toute la ville de Strasbourg élisant domicile à Périgueux.

Pourtant le phénomène le plus étonnant consiste depuis une vingtaine d'années en l'accueil croissant de ressortissants du nord de la CE (un peu plus de 2 000 Anglais résident aujourd'hui de façon permanente en Périgord aux côtés de Néerlandais, Belges et dans une moindre mesure d'Allemands et d'Irlandais). En réalité tous ces étrangers sont venus chercher en Périgord ce qu'ils n'avaient plus chez eux. Si les émigrés du bassin rêvent, sinon de faire fortune, du moins de gagner honorablement leur vie, ceux du nord de l'Europe, par contre, aspirent à une existence calme et sereine, loin du stress des grandes villes industrielles.

11 La correspondante de Helen pense que cet article pourrait intéresser les Townsend. Mais avant de le leur envoyer il sera nécessaire d'expliquer ou de simplifier certains termes. Proposez pour chacune des expressions en italiques un synonyme, une définition, un exemple ou une explication.

La chute démographique	citadins	
un seuil	quasiment	
se décarcasser	se redresse	
séduire	un solde migratoire positif	

excédés	Privilégiant
citadine	ces amateurs de vieilles pierres
acquérir	constat
freinée	sans borne
l'immobilier	son lopin de terre
flambaient	la concurrence
prosaïques	frise
se greffe	une auberge à la ferme
diffus	hormis
conséquent	le bâtiment
les prestations de service	en attrapent des boutons
les créneaux	les notaires

12 Quels sont les avantages et les inconvénients que présente ce flux d'étrangers qui viennent s'installer en Dordogne? Etudiez bien le texte avant de remplir le tableau ci-dessous:

Avantages pour la région	Inconvénients pour la région	Avantages pour les émigrés
La revitalisation du milieu rural	*Les étrangers veulent changer parfois les choses*	*Ils ont pu échapper au fascisme et à l'invasion allemande, etc.*

Les traditions landaises

La course landaise

Parmi toutes les traditions landaises – sportives, gastronomiques ou cynégétiques – il en est une plus particulièrement ancrée dans les pays de Chalosse et d'Armagnac : la course landaise. A Mont-de-Marsan, à Saint-Sever, et jusque dans le moindre petit village, à Caupenne ou à Bostens, une arène est montée. Les vaches landaises, sœurs des taureaux de combat, sont lâchées dans ces petits quadrilatères aux couleurs vives. Là, pour quelques secondes de gloire, le cordier – qui tient la corde pour guider l'animal – et l'écarteur rivalisent de force et d'adresse pour provoquer, puis esquiver au dernier moment, le fauve excité par les clameurs. Toutes sortes de sauts, plus ou moins difficiles, sont possibles et déterminent une hiérarchie précise entre les écarteurs.

13 Lisez l'article sur la course landaise. Pour montrer que vous avez bien compris, choisissez pour (a)–(g) l'expression qui convient le mieux au sens du texte.

ET SI LES FILLES ÉCARTAIENT LES HOMMES?

Didier Bordes, le responsable de l'école taurine de la Fédération française de course landaise, n'oubliera jamais cette scène incroyable. Devant lui, une fille. Derrière la fille, une autre fille. Puis une troisième. Elles disent, en le regardant dans les yeux : « On voudrait sauter ».

(a) Ces filles sont (i) arrogantes et trop sûres d'elles; (ii) timides; (iii) très bavardes et frivoles; (iv) sincères et résolues.

Le double champion de France des écarteurs se pince mais il comprend ce jour-là que rien ne les empêchera de descendre.

(b) Didier Bordes (i) se sent un peu gêné; (ii) n'en croit pas ses oreilles; (iii) se fâche; (iv) ne sait quoi faire.

Discuter ne sert à rien. « Une Parisienne, dit-il, je l'aurais dissuadée. Mais pas elles. Elles sont nées dedans ». Pourtant, dans le monde de la course landaise on reste bouche bée. Des jeunes filles qui veulent écarter des vaches !

(c) Dans le monde de la course landaise les gens sont (i) très étonnés; (ii) indifférents; (iii) un peu surpris; (iv) méfiants.

Nous sommes allés à Mouscardes interviewer Jo Barère, le champion des années soixante. Des femmes ? Les yeux de Jo font la pleine lune. La voix change d'étage « Je n'y crois pas du tout. L'écarteur est un encaisseur ».

(d) En apprenant que des filles veulent écarter des vaches, Jo Barère (i) reste incrédule; (ii) est extrêmement surpris; (iii) est un peu surpris; (iv) devient moqueur.

La femme ? Pour l'écarteur c'est d'abord celle qui, dans un grand amour, accomplit le rite de la préparation de la valise. Celle qui dispose le boléro de parade, plie les tenues, range le linge de corps et les toilettes. Jamais une femme n'a pris place dans le taxi qui l'amène aux arènes les jours de fête. Jamais une femme n'a mangé à sa table le midi de la course.

(e) Selon Jo Barère une femme (i) est là simplement pour faire des tâches domestiques; (ii) doit montrer pour le métier de son mari un respect presque religieux; (iii) doit rester à la maison; (iv) ne doit rien manger les jours de fête.

Jean-Pierre Guille, un autre grand champion, reste cloué sur sa chaise à l'évocation de l'arrivée des femmes. Comme chez Didier Bordes et les autres, tout ou presque a été cassé ces vingt dernières années. Les côtes, les bras, les genoux, les épaules, les ligaments. « Si les femmes veulent briller, dit-il, un jour ou l'autre il faudra qu'elles s'approchent. Et elles se feront choper. Une femme est trop fragile ».

(f) Jean-Pierre Guille pense que les femmes ne devraient pas écarter parce qu' (i) elles sont trop belles; (ii) elles ne sont pas assez costaudes; (iii) elles ne sont pas assez courageuses.

Au village de Pomarez, appelé la Mecque de la course landaise, Alain Laborde appelle chaque jour les fidèles. Il est à peu près le seul aujourd'hui à défendre l'idée de l'arrivée des femmes : « Les femmes, affirme-t-il, apporteront leur grâce, leur beauté, leur courage mais elles n'atteindront pas l'intensité du danger. Un garçon est beau parce qu'il trouve du plaisir à se faire peur ».

(g) Alain Laborde (i) est tout à fait en faveur de l'arrivée des femmes; (ii) défend avec certaines réserves les femmes écarteurs; (iii) est choqué par l'arrivée des femmes.

Aujourd'hui à 16h 30 dans les arènes de Pomarez, Sandra, Claire et Emmanuelle défileront en habit de lumière. Elles se planteront au milieu, assurées du soutien du public où seront assis des parents tendus et des champions amis.

14 Voici une lettre envoyée à un journal régional par une lectrice contrariée.

(a) Relevez dans la lettre les termes employés pour présenter une opinion ou une attitude (par exemple: *à mon avis, je pense que*).

(b) Imaginez que vous êtes l'une des jeunes filles concernées et écrivez une réponse réfutant ses arguments.

Cher Monsieur,

J'ai été très choquée de lire votre article sur les jeunes filles qui veulent prendre part à des courses landaises. En effet, cette idée me paraît tout à fait déplorable et, à mon sens, on ne devrait pas encourager ce genre de conduite si peu féminine !

Il me semble qu'il ne faudrait pas oublier que c'est un sport extrêmement dangereux et qui convient beaucoup plus au caractère masculin. Effectivement, quand on connaît les risques d'accidents et de fractures, on se rend compte qu'il faut aimer le danger et surtout avoir envie de briller en public. Or personnellement, je pense qu'une jeune fille respectable devrait se faire remarquer par d'autres qualités, telles la modestie et la discrétion.

Il est notoire que pour réussir dans notre sport régional il faut être capable de sauter et courir avec beaucoup d'adresse et de rapidité, ce qui ne correspond pas du tout, comme chacun sait, aux attributs féminins.

Que ces jeunes filles qui s'intéressent aux courses landaises sachent donc rester à leur place en acceptant leur rôle de soutien pratique et moral de l'écarteur, ainsi que le veut la tradition. Qu'elles restent de simples spectatrices et démontrent les vertus qui leur valent le respect et l'admiration !

L'élégance de la femme reste d'une importance primordiale, même si de nos jours les jeunes filles aspirent, à tort à mon avis, à rivaliser avec les hommes. Alors, faites donc place dans votre journal à des articles sur des sujets moins scandaleux et ne faites plus de publicité à ce qui n'en vaut pas la peine.

Une de vos fidèles lectrices, qui risque bien de ne plus l'être à l'avenir,

Hateure Courville

La préhistoire

15 Ecoutez, en suivant la transcription du texte, l'enregistrement dans lequel on décrit un itinéraire touristique qui parcourt la Vallée de la Vézère.

(a) Dans la transcription il y a 21 erreurs. Essayez de les corriger.

La Vallée de la Vézère

L'itinéraire que l'on vous propose demain, c'est vraiment l'itinéraire de la préhistoire. Vous passerez par Rouffignac, les Eyzies, la capitale de la préhistoire, pour aboutir au site des carottes de Lascaux. C'est là où Léon, 15 000 ans avant J-C, a peint toutes ces merveilleuses images d'animaux sauvages, bisons, chevaux, taureaux qui, pour certains, représentent la naissance de l'art. L'art quaternaire, les sites préhistoriques du Périgord sont célèbres dans le monde entier et attirent des flots de vacanciers. C'est pourquoi le département a choisi pour logo le grand chameau de Lascaux.

■ L'itinéraire commence à la grotte de Rouffignac. C'est une grotte qui était habitée par les zombis 12 000 ans avant J-C. Ils ont dessiné sur les murs des chevaux, des bisons et surtout des mammouths. La grotte est surnommée la grotte aux Cent Mammouths. Elle a été ▶▶

habitée pendant des milliers d'années par les hommes – et aussi par les ours, qui y ont laissé des glaces. Il est difficile de visiter les grottes parce qu'il y a un chemin de fer électrique souterrain qui parcourt à peu près 12 km de galeries.

■ En quittant Rouffignac vous partez vers le nord en prenant la D31. Les Eyzies se trouve à 14 km, sur la Vézère. A l'entrée des Eyzies vous verrez une statue très réaliste de l'homme de Cro-Magnon. Il est assis, dos arqué, faisant face à la vallée. Aux Eyzies il faut visiter le Musée National de la Préhistoire qui vient d'ouvrir ses portes, mais avant toute chose il y a un pèlerinage à entreprendre absolument, c'est celui conduisant à l'abri de Cro-Magnon. Le gardien, qui est

assez court et aisé, part devant l'hôtel du même nom. C'est ici qu'en 1868, des ouvriers ont dégagé l'entrée d'un abri et ont aperçu cinq squelettes humains. Ces squelettes ont permis de prouver l'existence d'un rat qui remonte à 30 000 ans. Une race d'hommes qui avaient un développement intellectuel avancé, qui savaient graver, sculpter, peindre.

■ Visitez ensuite le Musée National de la Préhistoire. Il donne une mauvaise idée de l'évolution de l'homme à travers les outils, la forme des crânes et ce que l'on a pu reconstituer des paysages.

■ Pour sortir des Eyzies, vous prenez la D706 que vous suivrez pendant 10 km pour arriver à Tursac, situé

au bord de la Vézère. Ce vilain tient son nom d'une chapelle du XVᵉ siècle taillée dans le fromage. A Tursac se trouve Préhisto-parc. C'est un porc en plein air riche en reconstitutions grandeur nature qui présente la vie quotidienne des premiers chasseurs néandertaliens. Vous découvrirez des scènes de la vie d'une famille il y a environ 15 000 ans. Vous pourrez voir la chasse au cochon laineux et au mammouth, le dépeçage du renne, la pêche, la taille de la pierre, la cuisine.

■ C'est un lieu de réflexion et de découverte mais aussi un site de limonade et de détente. Il y a la possibilité de pique-niquer et le parking est gratuit.

■ Reprenez la D706, direction Montignac. A

seulement 3,5 km vous trouverez Le Moustier, petit village plein de charme niché au bord de la Vézère. Plus loin, à 15 km sur la D706, vous arrivez à Montignac. A 3 km du village se trouve la célèbre grotte de Lascaux qui est connue dans le monde entier. C'est le 12 septembre 1940 que quarante enfants ont découvert cette grotte fantastique qui contient plus de 2 000 gravures et peintures vieilles de 17 000 ans. En 1963 on a dû fermer la grotte aux visiteurs parce que leur perspiration dégradait les couleurs des peintures. Mais on peut visiter Lascaux II, un fac-similé qui reproduit les parties les plus importantes de la grotte originale.

(b) **Regardez la carte et notez les renseignements qui vous sont demandés à la page 87.**

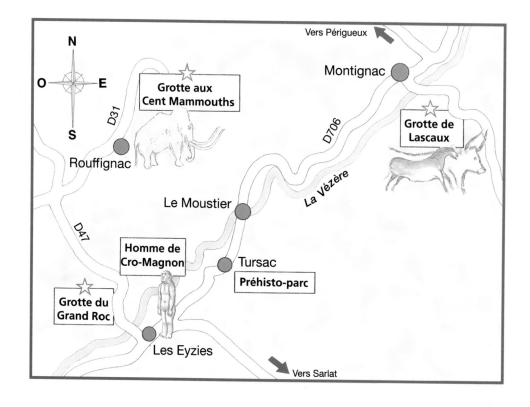

De Rouffignac à Lascaux: itinéraire touristique de la préhistoire

1   Date des peintures de Lascaux.   ....
2   Noms des animaux représentés dans ces peintures.   ....
3   Date d'habitation humaine de la grotte de Rouffignac.   ....
4   Moyen de visiter la grotte de Rouffignac.   ....
5   Le monument qui se trouve à l'entrée des Eyzies.   ....
6   Distance de Rouffignac aux Eyzies.   ....
7   Age des cinq squelettes découverts à Cro-Magnon.   ....
8   Date de cette découverte.   ....
9   Distance des Eyzies à Tursac.   ....
10 Ce qu'on peut voir à Préhisto-parc.   ....
11 Distance des Eyzies au Moustier.   ....
12 Distance du Moustier à Montignac.   ....
13 Distance de Montignac à Lascaux.   ....
14 Date de la découverte de Lascaux.   ....
15 Le nombre des peintures et gravures dans la grotte de Lascaux.   ....
16 L'âge de ces peintures et gravures.   ....
17 Date de la fermeture de la grotte originale.   ....
18 Longueur du circuit Rouffignac-Lascaux.   ....

Grammaire

1. Comment exprimer la situation dans l'espace

(a) Les termes qui suivent marquent la situation d'une chose par rapport à une autre:

A côté de, près de, au fond de, en face de, à gauche de, à droite de, en haut de, en bas de, autour de, le long de, au-dessus de, en dessous de.

Exemples:

Le salon se trouve au fond du couloir.
La cuisine est à côté de la salle à manger.
La salle de bains est en haut de l'escalier.
La maison se trouve en face de l'autogare.
Le séjour est à gauche de l'entrée.
Cette maison est près d'un supermarché.

(b) N'oubliez pas que la préposition **de** se transforme en **du** devant un nom masculin, en **des** devant un nom pluriel:

Exemples:

La maison est située à côté **du** supermarché?
Oui, et elle est près **des** jardins municipaux.

(c) Les pronoms relatifs **où**, **dans lequel**, **sur laquelle**, **à côté duquel** etc. servent à indiquer une position.

Exemples:

Vous verrez devant vous un long couloir **au fond duquel** il y a une porte qui donne sur la cour.
La propriété a un terrain de 500 m² **dans lequel** il y a une vingtaine d'arbres fruitiers.

Pratique

Reliez les deux phrases en vous servant d'un pronom relatif.

(a) Au rez-de-chaussée se trouve un salon.
Dans le salon il y a une belle cheminée en pierre.
(b) Le propriétaire a aménagé un jardin pittoresque.
Dans le jardin il y a plusieurs grands chênes.
(c) Derrière la maison vous verrez une terrasse.
Au-dessus de la terrasse on a construit un toit en verre.
(d) Pas loin de la propriété on voit un coteau.
Sur le coteau on a planté un bois de pins.

(e) La propriété comprend un très long jardin.
    Au fond du jardin les Lagard ont installé une piscine.
(f) Dans la rue Huet se trouve une chapelle romaine.
    A côté de la chapelle vous verrez un supermarché.

2. Les prépositions de lieu

(a) **A** indique la position dans un lieu ou le mouvement vers un lieu.

Exemples:

> La tour Eiffel est **à** Paris.
> Elle travaille **à** la boulangerie.
> Nous sommes allés **à** Paris, **à** Dieppe et **à** Londres.
> Elle est allée **à** la boulangerie.

(b) **Au** et **aux** sont placés devant les noms de pays qui sont au masculin singulier ou au pluriel:

> **Au** Canada, **au** Mexique, **au** Brésil, **au** Maroc, **au** Pays de Galles.
> **Aux** Etats-Unis, **aux** Philippines, **aux** Baléares.

N'oubliez pas qu'il y a contraction entre la préposition **à** et **le** ou **les**:

> **à** + **le** → **au**; **à** + **les** → **aux**.

(c) **Dans** ou **en**? Quand les noms de pays au singulier sont au féminin ou qu'ils commencent par une voyelle, la préposition de lieu est **en**:

Exemples:

> Nous allons **en** France.
> Ils vont **en** Uruguay.
> Elle habite **en** France mais va souvent **en** Suisse.

S'il s'agit d'un type de lieu général on utilise **en** et non pas **dans**:

> Je sais que l'air **en** montagne est moins pollué mais moi, je préfère habiter **en** ville.
> Les gens qui habitent **en** banlieue utilisent le tramway pour se déplacer.

On emploie **dans** pour marquer un lieu spécifique ou un espace circonscrit:

> **Dans** la montagne où j'habite on voit beaucoup de chamois.
> J'ai un tout petit appartement **dans** la banlieue de Montrouge.
> Elle habite **dans** une ville surpeuplée.

(d) **En** ou **dans** devant les noms de *départements*: devant les noms formés de termes reliés par **et** (*exemple*: Eure-et-Loir, Lot-et-Garonne) on met **en**. Devant les noms des autres départements, on emploie **dans** et l'article:

> J'ai une maison **en** Lot-et-Garonne.
> C'est **dans** la Gironde, **dans** la Seine-Inférieure, etc.

(e) Les noms de *provinces* ou de *régions* se construisent avec **en** quand ils sont féminins ou quand ils commencent par une voyelle (**dans** suivi de l'article est aussi possible). Quand ils sont masculins, ils prennent **en** ou **dans le**:

> **En** Dordogne, **en** Picardie, **en** Aquitaine.
> **En** ou **dans le** Périgord.

(f) Pour les noms des comtés anglais on emploie **dans** suivi de l'article:

> **Dans le** Cheshire, **dans le** Kent etc.

Pratique

Remplissez les blancs avec la préposition de lieu qui convient.

(a) L'équipe va jouer . . . Mexique, . . . Etats-Unis et peut-être . . . Canada avant de revenir . . . France.
(b) Traditionnellement . . . Dordogne, l'industrie agro-alimentaire reste vivace.
(c) Un peu plus de 2 000 Anglais résident aujourd'hui . . . Périgord.
(d) 10 000 pieds-noirs se sont installés . . . Aquitaine à cause des changements politiques . . . Algérie.
(e) En Lot-et-Garonne on trouve de nombreux Alsaciens; ils vivent surtout . . . la ville de Périgueux.
(f) . . . toute la région du sud-ouest, il pleut surtout au printemps et en automne.
(g) Je n'aime pas vivre . . . des pays froids ou pluvieux, c'est pourquoi je veux m'installer . . . cette région où il fait beau.

3. Dimensions

(a) Avec le verbe *avoir* ou *faire*:

> La tour **a** dix mètres de haut (*ou* de hauteur).
>
> *ou*
>
> La tour **a** une hauteur de dix mètres.
>
> *ou*
>
> La tour **fait** dix mètres de haut (*ou* de hauteur).
>
> La piscine **a** dix mètres de long (*ou* de longueur).
>
> *ou*
>
> La piscine **a** une longueur de dix mètres.
>
> *ou*
>
> La piscine **fait** dix mètres de long (*ou* de longueur).

(b) Avec le verbe *être*:

> Le terrain **est** long de 60 mètres.
> La tour **est** haute de 20 mètres.
> Le salon **est** large de 6 mètres.

(c) Pour indiquer la superficie:

> La salle à manger **a** 5 mètres de large **sur** 10 mètres de long.
> La salle à manger **fait** 5 mètres de large **sur** 10 mètres de long.
>
> Elle **a** donc une superficie de 50 mètres carrés. (5 m $\times$ 10 m = 50 m^2)
> Elle **fait** donc 50 mètres carrés de superficie. (5 m $\times$ 10 m = 50 m^2)
>
> La ferme **est** d'une superficie de 50 km^2.

Pratique

Ecrivez des phrases pour indiquer:

(a) la hauteur de la Sears Tower.

(b) les dimensions de ce parking:

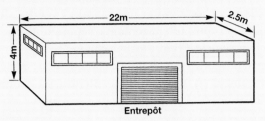

La Sears Tower, Chicago

443m

104m

80m

Parking

(c) les dimensions de cet entrepôt:

22m 2.5m

4m

Entrepôt

4. Comment employer les pronoms compléments d'objet direct

Les pronoms de la troisième personne

Ces pronoms sont: **le**, **la**, **les**, **l'**. Ils dépendent d'un verbe transitif direct.

Exemples:

> – Tu regardes souvent **la télévision**?
> – Je **la** regarde parfois pendant le week-end.
>
> – Vous connaissez **les Townsend**?
> – Oui, je **les** connais depuis vingt ans.
>
> – Et **la fille** des Townsend, Helen?
> – Oui, je **la** connais très bien et je **l'**admire: c'est une excellente pianiste.

Le pronom complément d'objet direct se place

(a) devant le verbe conjugué:
> Je **la** regarde; je **l'**aime; je **les** connais.

(b) devant l'auxiliaire du verbe conjugué à un temps composé:
> Je **l'**ai invité; tu **les** as rencontrés.

(c) devant l'infinitif dont il dépend:
> Tu peux **le** dire à Helen; je vais **la** vendre; nous avons décidé de **les** vendre.

Le pronom se place après le verbe uniquement à la forme impérative positive:

> Mange-**le**, il est bon!
> Regardez-**la**! Elle ne sait pas nager.

Notez donc qu'à la forme négative, le pronom reste devant le verbe:

> Ne **le** dis pas aux Townsend!

N'oubliez pas que, quand le pronom complément d'objet direct précède un verbe à un temps composé, *le participe passé s'accorde avec ce pronom*:

> C'est une Ford. Je **l'**ai achet**ée** en Angleterre.
> Je n'ai plus de pommes. Je **les** ai vend**ues**.

Pratique

Un client est venu visiter une maison à vendre. Il suggère certains aménagements, réparations etc. que l'on pourrait faire, mais à chaque fois le propriétaire affirme qu'il l'a déjà fait. Vous écrivez ses réponses en utilisant, bien entendu, un pronom complément d'objet pour remplacer le nom.

Exemple:

– Il faudrait peut-être retapisser les murs du salon.
– Mais non, je **les** ai déjà retapiss**és**!

(a) – Il faudrait repeindre les murs.
    – Mais non, ...
(b) – Le jardin a besoin d'être nettoyé!
    – Mais non, ...
(c) – Ma femme m'a dit qu'il faut réparer la porte du garage.
    – Mais non, ...
(d) – Ces solives seraient plus jolies si on les vernissait.
    – Mais non, ...
(e) – La salle de bains a bien besoin d'être nettoyée.
    – Ah non, ...
(f) – On pourrait peut-être agrandir le garage.
    – Oh non! ...
(g) – Vous avez beaucoup d'arbres, il faudrait peut-être les tailler.
    – Mais non, ...
(h) – Si le coq des voisins fait des cocoricos à 5 heures du matin, moi, j'aurai envie de le tuer!
    – Mais non, ...

Contrôles

Contrôle des connaissances

La région Aquitaine

1 Nommez deux rivières en Aquitaine.

2 La Dordogne est connue pour ses mille et un _____.

3 On dit que les Eyzies est la capitale mondiale de la _____.

4 Quels sont les étrangers qui sont venus s'installer en Dordogne?
Les Ecossais, les Hollandais, les Danois, les Mexicains, les Suisses, les Anglais, les Alsaciens, les Russes, les Espagnols, les Suédois, les Italiens, les Américains, les Irlandais?

5 Quel est le village qui passe pour être la Mecque de la course landaise?

6 Quelle est la date de la découverte de la grotte de Lascaux?

7 Comment s'appelle la grotte artificielle que l'on a construite après la fermeture de la grotte de Lascaux?

8 Nommez deux produits naturels de la Dordogne qui sont particulièrement recherchés par les gastronomes.

La migration des étrangers

1 Pourquoi tant d'étrangers sont-ils venus s'installer en Aquitaine? Donnez trois raisons.

2 Pourquoi cette migration est-elle avantageuse pour la région? Donnez trois raisons.

3 Pourquoi les habitants de la région sont-ils parfois contre la présence des étrangers? Donnez trois raisons.

L'Aquitaine touristique

1 Quels sont les principaux atouts touristiques de l'Aquitaine? Donnez quatre exemples.

Contrôle de la grammaire

1 En bavardant avec un(e) ami(e), vous décrivez une propriété que vous venez d'acheter en Périgord. En décrivant la piscine, le jardin, le terrain attenant, le court de tennis, le verger etc., vous en exagérez les dimensions pour essayer d'impressionner votre ami(e). Celui-ci/celle-ci, possédant aussi une résidence secondaire, fait de même. Vous écrivez le dialogue.

2 Remplissez les blancs avec la préposition de lieu qui convient.

(a) _____ Lot-et-Garonne on trouve de nombreux Alsaciens.

(b) _____ la ville de Strasbourg se trouvent des espaces piétonniers très bien aménagés.

(c) _____ cette région, comme partout _____ Provence, les hivers sont peu rigoureux.

(d) Tout le monde est allé _____ montagne pour cueillir des myrtilles.

(e) J'ai un tout petit appartement _____ le centre de Bergerac.

(f) Non, ce n'est pas _____ Picardie que vous trouverez des truffes, c'est plutôt _____ Dordogne.

(g) Ils n'aimaient pas vivre _____ ce pays froid et pluvieux, c'est pourquoi ils sont venus s'installer _____ Aquitaine.

(h) Toute la famille est partie. Les parents sont allés _____ Etats-Unis et les enfants se sont installés _____ Canada.

3 Remplissez les blancs avec un pronom complément d'objet direct:

Pot au feu landais

Tu veux faire un pot au feu landais! Bon, je vais t'expliquer comment _____ préparer, c'est facile. Tu achètes des poireaux, des carottes, et des cèpes. (D'ailleurs les cèpes, tu peux aller _____ cueillir, toi-même). Quand tu _____ a épluchés, tu prends une grande casserole et tu _____ remplis à moitié avec de l'eau froide. Tu mets les légumes dans la casserole et tu _____ mets à bouillir. Ensuite, tu prends la viande (800 grammes de viande de pot au feu) et après _____ avoir frottée avec de l'ail, tu _____ mets dans l'eau bouillante. Tu _____ laisses cuire, avec les légumes, pendant trois heures. Une heure avant la fin, tu prends l'os à moelle et tu _____ ajoutes dans la casserole. Enfin, tu sors la viande et tu _____ sers entourée des légumes.

Contrôle du vocabulaire

1 Ecrivez une définition pour chacun des mots de la liste ci-dessous.

Exemples:

Un tournevis, c'est un instrument qu'on utilise pour mettre des vis.
Une boîte à lettres, c'est une boîte dans laquelle on met des lettres.
Un maçon, c'est une personne qui construit des maisons.

un agent immobilier	le bottin
un viticulteur	une résidence secondaire
un répondeur	un retraité
un canoéiste	une auberge à la ferme
un citadin	une école taurine
un écarteur	un émigré

2 Remplissez les blancs avec un mot qui convient. N'oubliez pas de faire l'accord quand vous mettrez un adjectif.

(a) C'est une grande maison c_____ en pierre.

(b) La maison est ch_____ à l'électricité.

(c) Cette maison est située sur un t_____ de presque un hect_____.

(d) Le terrain est clôturé et pla_____ d'arbres.

(e) On parle de déclin démographique quand la n_____ ne couvre pas la mor_____.

(f) Au rez _____ il y a une cuisine, une buanderie et un séjour avec une belle cheminée.

(g) Dans les années 60–70, les Anglais ont commencé à acquérir en Dordogne des rés_____sec_____.

(h) Lascaux est un s_____ très célèbre de la préhistoire.

(i) Dans la grotte de Lascaux il y a de fantastiques p_____ d'animaux sau_____.

(j) C'est à Cro-Magnon, qu'en 1868, des ouvriers ont découvert cinq s_____ humains vieux d'environ 30 000 ans.

(k) Veuillez ag_____, Monsieur, l'expression de mes s_____ dévoués.

magazine — # INCENDIES DE FORÊT

Grand ennemi de la forêt des Landes, le feu fait rage chaque été. Neuf fois sur dix, allumé par l'homme. On demande donc aux randonneurs d'être très prudents !

Les causes principales des incendies de forêt

1 Feux de camp. Pour éviter tout accident, il faut débroussailler les abords du fourneau et, si possible, le cercler de pierre, sinon creuser un sillon de trente centimètres tout autour.

2 Déchets divers. Les éclats de verre peuvent jouer le rôle de loupe et allumer des broussailles.

3 Mégots de cigarettes. Bien que toutes les voitures soient équipées de cendriers, nombre d'automobilistes jettent leur mégot toujours incandescent par la vitre. L'incendie peut alors se déclarer en deux minutes.

4 Pyromanes. Chaque été, des incendies de forêt sont déclenchés volontairement par des gens fascinés par le feu ou bien voulant tout simplement se venger de quelque chose.

Faites correspondre les panneaux ci-dessous avec les paragraphes qui conviennent.

a)

b)

c)

d)

Réponses: 1. c), 2. d), 3. a), 4. b).

Canadair
le pélican des pompiers

Chaque année, plus de 50 000 hectares de forêts disparaissent en fumée. Le seul moyen d'éteindre ces brasiers est d'avoir recours à des avions-citernes d'un genre très particulier : les Canadair. L'avantage de ces avions est qu'ils peuvent remplir leur réservoir d'eau sans s'arrêter, en pompant la surface des lacs à la manière d'un pélican qui pêche. Equipé de deux puissants moteurs de 1 500 chevaux, nécessaires pour emporter les 6 000 litres d'eau en soute, l'avion est très délicat à piloter. Les pilotes de ces appareils ont fort à faire lors des interventions, puisqu'il faut en moyenne vingt largages d'eau par incendie. Les missions réunissent généralement trois avions, qui effectuent six à huit passages. L'attaque d'un feu se fait dans le sens du vent, pour éviter les fumées qui aveugleraient les pilotes.

1. Les phrases qui suivent décrivent les manœuvres effectuées par le Canadair, mais elles sont présentées dans le désordre. Faites correspondre chaque phrase au dessin qui convient.

1. La vitesse stabilisée à 100 km/h, le pilote sort alors les écopes par lesquelles l'eau va entrer.
2. Quand les six mille litres d'eau sont avalés, une vanne de secours évacue le trop-plein.
3. Le pilote stabilise l'appareil au-dessus des flammes. Il doit lutter contre les courants d'air chaud.
4. Avec les moteurs à plein régime, le pilote effectue la remontée.
5. Quand les écopes sont sous l'eau, les citernes se remplissent sous l'effet de la vitesse. Le Canadair frôle l'eau durant 640 mètres.
6. L'avion se vide de son eau.
7. Le Canadair réduit sa vitesse et descend à 15 mètres du niveau de l'eau.

Le savez-vous? La couleur jaune vif utilisée pour peindre ces avions est un élément essentiel de sécurité. C'est la couleur la plus vite repérée par l'œil.

2. Relisez le texte ci-dessus et regardez bien les dessins. L'artiste a fait deux erreurs. Trouvez-les.

Les premiers

1. Pourriez-vous nommer ces "premiers" célèbres ?

1. Premier homme sur la lune.
2. Premier homme dans l'espace.
3. Première femme dans l'espace.
4. Premier homme à fabriquer une locomotive à vapeur.
5. Premier Président de la République Française.
6. Première femme à devenir Premier Ministre de la Grande-Bretagne.
7. Premier homme à atteindre le pôle Sud.
8. Première femme à recevoir le Prix Nobel de chimie.

2. Si votre mémoire ne répond pas à l'appel, voici les noms dans le désordre. Il vous suffira de les relier à l'exploit correspondant.

a) George Stephenson
b) Louis-Napoléon Bonaparte
c) Roald Amundsen
d) Marie Curie
e) Youri Gagarine
f) Margaret Thatcher
g) Neil Armstrong
h) Valentine Terechkowa

Réponses: 1. g), 2. e), 3. h), 4. a) 5. b), 6. f), 7. c), 8. d).

LES ANIMAUX « COMME »

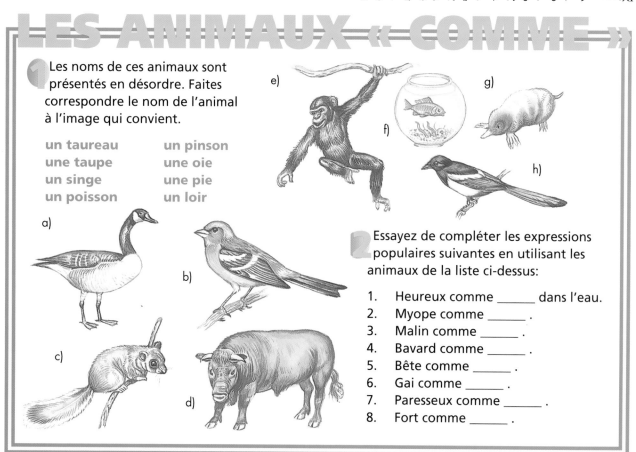

1 Les noms de ces animaux sont présentés en désordre. Faites correspondre le nom de l'animal à l'image qui convient.

un taureau   un pinson
une taupe   une oie
un singe   une pie
un poisson   un loir

2 Essayez de compléter les expressions populaires suivantes en utilisant les animaux de la liste ci-dessus:

1. Heureux comme _____ dans l'eau.
2. Myope comme _____ .
3. Malin comme _____ .
4. Bavard comme _____ .
5. Bête comme _____ .
6. Gai comme _____ .
7. Paresseux comme _____ .
8. Fort comme _____ .

Réponses: 1. un poisson.   2. une taupe.   3. un singe.   4. une pie.   5. une oie.   6. un pinson.   7. un loir.   8. un taureau.

Les téléspectateurs

Les chiffres. . .

De nos jours, presque tous les foyers français ont une télévision – voire plusieurs – et plus de 60% des foyers possèdent un magnétoscope. Environ 1,5 million de personnes sont abonnées au câble même s'il y a beaucoup moins de gens en France qu'en Angleterre qui reçoivent la télévision par satellite.

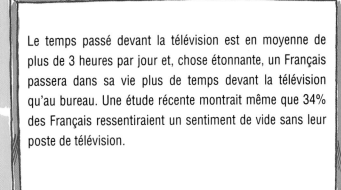

Le temps passé devant la télévision est en moyenne de plus de 3 heures par jour et, chose étonnante, un Français passera dans sa vie plus de temps devant la télévision qu'au bureau. Une étude récente montrait même que 34% des Français ressentiraient un sentiment de vide sans leur poste de télévision.

Les enfants passent 800 heures par an à l'école et 900 heures à regarder la télévision. Les 4–10 ans la regardent cependant moins que leurs parents (1 heure 57 min. par jour), ce qui s'explique en partie par la popularité croissante des jeux vidéo. Les adolescents regardent la télévision en moyenne 3 heures 7 min. Chez les adultes, les employés regardent la télévision en moyenne 2 heures 15 min. et les cols bleus 2 heures 47 min.

Les deux tranches d'âge qui regardent le plus la télévision sont les 25–35 ans et les retraités, alors que les 35–50 ans sont ceux qui la regardent le moins.

La multiplication des chaînes permet d'avoir une plus grande variété de programmes. Cela va des magazines/documentaires (26,6% des programmes proposés) et des fictions TV (25%) aux variétés (9,9%) et programmes pour la jeunesse (6,7%). Mais qu'est-ce qu'on regarde vraiment ? D'après les derniers chiffres, les programmes qui obtiennent les plus fortes audiences sont les fictions TV (27,7%), suivies des magazines/documentaires (14,4%) et des journaux télévisés (13,2%). Les films attirent toujours un grand nombre de téléspectateurs et certains d'entre nous semblent fascinés par les publicités (8,3%).

Loisirs des Français : interview

Le journaliste: Mme Perret, vous venez d'effectuer un sondage sur les loisirs des Français. Pourriez-vous nous expliquer quels en étaient les buts ?

Mme Perret: Il s'agissait en particulier d'étudier l'évolution des loisirs des Français pendant la seconde moitié de ce siècle, et plus particulièrement sur les quinze dernières années. Comme chacun sait, l'augmentation du temps libre a contribué de façon primordiale à cette évolution. . .

Le journaliste: Alors vous avez noté des changements importants?

Mme Perret: Rien de très dramatique, mais de nouvelles tendances se confirment. De moins en moins de gens écoutent la radio et vous ne serez pas surpris d'apprendre que cette baisse a surtout profité à la télévision : les gens ne l'ont jamais autant regardée qu'à l'heure actuelle. Avec le développement du câble et du satellite, le choix est devenu tellement vaste que – l'usage de la télécommande aidant (8 téléspectateurs sur 10 utilisent une télécommande) – zapper est devenu un sport national !

Le journaliste: La télévision est donc devenue notre passe-temps favori ?

Mme Perret: J'en ai bien peur. Cependant, le nombre de gens qui disent écouter des disques ou des cassettes au moins une fois par semaine reste équivalent au nombre de gens qui regardent la télévision.

Le journaliste: Ce n'est pas négligeable en effet. . . Et qu'en est-il des autres loisirs ?

Mme Perret: Eh bien, il y a eu une baisse significative du nombre de gens assistant à des manifestations sportives payantes. En revanche, la lecture semble être plus populaire que jamais : 75% de la population la cite comme un loisir contre 70% en 1973. En fait, les ventes de livres ont énormément progressé ces derniers temps, et c'est d'autant plus impressionnant qu'il faut aussi prendre en compte les 79% de la population qui ont accès à une bibliothèque.

Le journaliste: Donc on sait toujours lire ! C'est plutôt encourageant ! Et pour ce qui est de la musique, est-ce que les concerts sont toujours populaires ?

Mme Perret: D'après nos statistiques, oui, sans aucun doute, puisqu'on note un accroissement important du nombre de gens assistant à des concerts de jazz ou de rock. La musique classique continue elle aussi d'attirer le public, et c'est vrai également pour l'opéra. Le nombre de gens allant au théâtre est, pour sa part, resté constant. En revanche, on a été surpris de constater que jamais autant de gens ne sont allés au cirque.

Le journaliste: C'est très étonnant en effet. Et il serait encore plus intéressant de savoir quelles sont les tranches d'âge concernées par ce nouvel engouement pour le cirque. . . . Dites-moi, quelles sont les autres formes de loisirs que nous négligeons en faveur de la télévision ?

Mme Perret: Voyons. . . la fréquentation des fêtes foraines est passée de 47% en 1973 à 34% en 1992. De même, la fréquentation des salles de cinéma avait légèrement chuté sur cette même période, poursuivant un mouvement descendant commencé plusieurs années auparavant. Mais il semblerait que les choses soient en train de changer, notamment grâce à la

popularité grandissante des salles multiplexes. Depuis 1993, on assiste en effet à une importante hausse de la fréquentation des cinémas. Il faut aussi noter que le nombre de gens allant au musée continue d'augmenter : le musée d'Orsay à Paris a reçu 3 millions de visiteurs cette année et Beaubourg, qui attendait initialement 7 000 visiteurs chaque jour, en reçoit en fait 25 000. Et vous serez peut-être étonné de savoir que les visiteurs sont en majorité des femmes.

Le journaliste: Vraiment ?

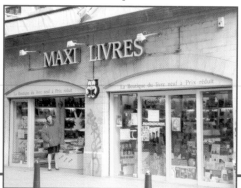

Mme Perret: Oui. Il semblerait que les hommes ne soient pas prêts à élargir leurs horizons culturels. . . Enfin. . . Où en étais-je déjà ?

Le journaliste: (précipitamment) Bon. . . Eh bien, Mme Perret, je vous remercie du temps que vous avez bien voulu me consacrer, et je lirai avec plaisir les conclusions de votre enquête lorsqu'elle paraîtra.

1. Voici quelques définitions de mots et expressions qui figurent dans le texte. Les termes correspondants vous sont donnés mais il leur manque certaines lettres. A vous de les retrouver.

a) Machine électronique qui enregistre les émissions télévisées: m–g–––o–c–p–.

b) Personne qui écoute et regarde la télévision: t–––s––c–at––r.

c) Personne qui ne travaille plus en raison de son âge et qui reçoit une pension de retraite: r––r–––é.

d) Ensemble de personnes qui écoutent une émission: a–d––n––.

e) Activité ou annonce qui cherche à faire connaître un produit au public pour mieux le vendre: p–b––c––é.

f) Changer constamment de chaîne de télévision en appuyant sur les boutons de la télécommande: z–p––r.

g) Action de lire: l––t––e.

h) Endroit où l'on peut emprunter des livres: b–b–––t––q–e.

i) Spectacle où l'on peut voir des numéros équestres et acrobatiques: c–r––e.

j) Action d'aller souvent dans un lieu: f––q–––t–i–n.

k) Endroit où on trouve des collections d'objets d'art ou de science: m–––e.

2. *Changements dans la pratique des loisirs des Français au cours des 15 dernières années:* cochez dans le tableau ci-dessous les activités qui ont connu une baisse ou celles qui ont connu une augmentation.

	Baisse	**Augmentation**
a) écouter la radio		
b) regarder la télévision		
c) écouter des disques		
d) aller à des concerts de jazz ou de rock		
e) aller au cirque		
f) aller au musée		

Réponses: 1. a) magnétoscope, b) téléspectateur, c) retraité, d) audience, e) publicité, f) zapper, g) lecture, h) bibliothèque, i) cirque, j) fréquentation, k) musée.
2. baisse: a); augmentation: b), c), d), e), f).

POLLUTION

Je vous écris au sujet de votre article sur les problèmes de pollution dans Paris. Vous y évoquiez le fait que, vu le niveau excessif de la pollution atmosphérique dans les rues de la capitale, l'accès aux voitures avait été sérieusement contrôlé. En effet, les usagers ne pouvaient prendre leur voiture qu'un jour sur deux, suivant que leur numéro d'immatriculation était pair ou impair. De plus, pendant ces journées, les transports en commun étaient gratuits. Au bout de 2 jours, le niveau est redevenu acceptable, mais personnellement j'aimerais savoir comment on en est arrivé là. En effet, il me semble que c'est une solution très temporaire à un problème dont on parle depuis longtemps et qui aurait dû être traité d'une façon beaucoup plus radicale. Il semble qu'on attende toujours la dernière minute pour agir. On aurait dû prendre, il y a des années, les mesures nécessaires pour encourager les gens à se servir des transports en commun.

Il est bien évident que tant que le métro, le RER, les bus et les trains de banlieue n'offriront pas aux usagers une alternative plus attrayante, ils continueront à prendre leur voiture particulière. Les pouvoirs publics devront sans doute investir des sommes importantes pour que la situation s'améliore, mais cela permettra sûrement de faire des économies dans le domaine de la santé. En effet, il ne faut pas oublier que tous les ans les cas d'asthme et les allergies augmentent et personne ne semble se rendre compte que cela coûte cher en journées de travail perdues et en traitement médical.

ozone au niveau du sol menant à des crises respiratoires

façades abîmées par les polluants secondaires

Polluants primaires émis par les véhicules. . .

Monoxyde de carbone

Oxydes d'azote   **Particules fines**

. . . affectant les voies respiratoires et provoquant des maux de tête, des vomissements, des maladies cardio-vasculaires, des crises de circulation et même des cancers.

1. L'auteur de la lettre critique sans proposer de solutions pratiques. Vous écrivez au magazine en indiquant quelles mesures pourraient encourager les gens à prendre les transports en commun.

2. L'auteur de cette lettre, qui vit à Paris, souligne bien entendu les problèmes dus aux voitures. Toutefois, la pollution en France a bien d'autres causes. Pourriez-vous établir une liste de ces facteurs de pollution et de leurs effets nocifs. Avez-vous des solutions à proposer?

DICTONS : LA PLUIE ET LE BEAU TEMPS

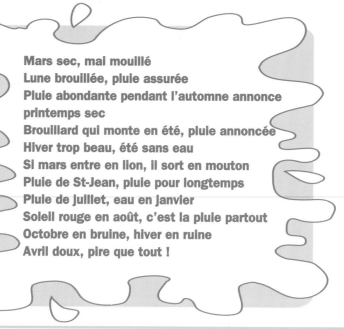

Mars sec, mai mouillé

Lune brouillée, pluie assurée

Pluie abondante pendant l'automne annonce printemps sec

Brouillard qui monte en été, pluie annoncée

Hiver trop beau, été sans eau

Si mars entre en lion, il sort en mouton

Pluie de St-Jean, pluie pour longtemps

Pluie de juillet, eau en janvier

Soleil rouge en août, c'est la pluie partout

Octobre en bruine, hiver en ruine

Avril doux, pire que tout !

Activité: les bonnes phrases

Retrouvez deux des dictons à partir des mots dans les cases ci-dessous:

en pluie monte hiver octobre qui bruine en annoncée ruiné été brouillard en

Réponses: Brouillard qui monte en été, pluie annoncée./Octobre en bruine, hiver en ruine.

Les mystères de la pelote

Qu'est-ce que c'est que la pelote basque ? Au départ, tout paraît simple. La pelote, c'est une balle qu'on projette contre un mur qui s'appelle un fronton. Mais immédiatement, la situation se complique lorsqu'on apprend que cette balle peut peser de 50 à 150 grammes suivant le jeu et qu'il existe plusieurs secrets pour la fabriquer. En général, elle se compose d'un cœur de caoutchouc entouré de laine puis de fil de coton, le tout recouvert de deux enveloppes de peau de chèvre et de mouton.

Aujourd'hui, on joue d'abord à la pelote à main nue : c'est la forme la plus pure, la plus directe, celle que pratiquent les gamins en sortant de l'école. On utilise aussi une raquette de bois avec une poche de corde ou de nylon, ou bien une « chistera », le fameux gant de cuir prolongé par un panier d'osier. Le jeu se pratique dans un terrain à ciel ouvert limité par un fronton ou dans un « trinquet » qui est une salle couverte évoquant les anciens jeux de paume.

La pelote est un jeu qui exige beaucoup de force, d'adresse et d'agilité et il faut avoir le coup d'œil vif (la « vista ») mais pour la plupart les femmes en sont exclues. La seule discipline qui est ouverte aux équipes féminines c'est la « pala », ancêtre du squash qui se joue avec une balle de gomme ou de cuir.

La pelote basque a participé aux Jeux Olympiques de Barcelone 1992 en tant que discipline de démonstration. Après les Championnats du monde de pelote basque en 1994, le Pays Basque a accueilli en septembre 1997 la première coupe du monde en trinquet avec les meilleurs joueurs de sept pays. Pour ce rendez-vous sportif majeur, on a construit un trinquet exceptionnel comprenant trois murs en verre.

Retrouvez les quatre termes essentiels qui figurent dans la description du jeu de la pelote basque:

a) le t-----n, b) le f-----n, c) la c------a, d) la b---e.

La pelote basque

Réponses: a) terrain, b) fronton, c) chistera, d) balle.

Dans 15 ans

On ne sera plus jamais seul, grâce aux télécommunications

Corinne est une jeune fille « branchée » du XXIᵉ siècle : elle possède une petite carte, genre carte à puce, qui contient, sous forme codée, son numéro personnel universel. Partout où elle va, il lui suffit de glisser sa carte magique dans le premier téléphone venu, fixe ou portable, public ou privé, à l'hôtel, dans la rue, chez des amis ou des clients, dans un avion ou dans un train. Aussitôt, ce téléphone devient le sien. Elle peut passer des appels, et ceux-ci lui seront automatiquement facturés sur son compte habituel, dans son pays d'origine. Et elle peut être appelée : composez son numéro sans vous soucier de savoir où elle se trouve : le téléphone qui sonnera sera celui dans lequel Corinne a glissé sa fameuse carte. Bien entendu, quand Corinne ne souhaite pas être dérangée (c'est son droit), il lui suffit de conserver sa carte en poche : alors, aucun téléphone ne sonne pour elle. Mais qu'elle se rassure, on peut lui laisser un message, sur Internet ou ailleurs.

On travaillera au chaud, chez soi

Plus besoin d'être physiquement présent au bureau pour faire ce que l'on aura à faire. Télécopie, télétexte, courrier électronique, consultation à distance de toute espèce d'informations et documents… Pourquoi se déranger ? Déjà beaucoup de gens (journalistes, assureurs, représentants de commerce, cadres…) travaillent ainsi à distance. Mais il pourrait s'agir demain d'un phénomène massif.

Demain, des millions de gens découvriront de même qu'ils n'ont plus aucune raison de se déplacer jusqu'à un bureau pour rédiger des documents ou étudier des formulaires.

On voyagera loin, très loin, à très petits prix

Les premiers passagers risquent de trouver ça un peu bizarre : aperçue de loin en arrivant à l'aéroport, l'''aile volante'' – un gigantesque boomerang d'environ sept mètres d'épaisseur – a bien l'air d'un énorme objet volant. Mais vu de l'intérieur, cela ne ressemble pas du tout à un avion. Il n'y a d'ailleurs aucun hublot. Les 1 000 passagers, logés sur deux niveaux, sur des rangées de quarante sièges, se croiraient plutôt dans une très grande salle de cinéma. Probable, d'ailleurs, qu'on leur projettera un maximum de films, le temps d'arriver à destination (jusqu'à 12 000 km sans escale).

Tous les grands de l'aéronautique travaillent aujourd'hui sur ce nouveau concept d'aéroplane, qui permettra de transporter, on l'a dit, jusqu'à 1 000 passagers au bout du monde, et ceci à des tarifs ultracompétitifs. Mais auparavant, on aura déjà pris l'habitude de voyager en foule : les gros porteurs actuels, type 747, auront sans doute jusqu'à 800 places.

▶▶

On opérera sans ouvrir

Quand on a une maladie cardiaque de nos jours, il n'est plus toujours nécessaire d'avoir une lourde opération à cœur ouvert, avec les risques et la longue convalescence que cela implique. Aujourd'hui, c'est nouveau, le chirurgien se contente d'une minime incision du thorax. A l'aide d'un tube éclairant, d'une micro-caméra et de micro-instruments télécommandés, il "téléopère" en observant le mouvement de ces instruments sur un écran vidéo, avec un fort agrandissement. Une telle opération est un exploit technologique et ce type de chirurgie peu traumatisante devrait se généraliser grâce aux progrès de l'électronique et des instruments miniaturisés.

Activité

Un étudiant a lu l'article 'Dans 15 ans' et a voulu faire un résumé des changements prévus pour les 15 prochaines années dans le but d'en faire un exposé. Malheureusement, il a laissé par erreur certains verbes à l'infinitif. Corrigez ces verbes en italiques en les mettant au futur.

Grâce aux télécommunications, on ne [1]*être* plus jamais seul. Les appels téléphoniques [2]*être* enregistrés sur le compte de l'usager. On pourra aussi recevoir un appel n'importe où, il suffira de glisser une carte spéciale dans n'importe quel téléphone qui [3]*sonner* chaque fois que quelqu'un voudra vous contacter.

Les gens [4]*découvrir* le plaisir de travailler chez eux. L'hiver, ce sera un avantage car on n'[5]*avoir* pas à perdre de temps en longs trajets pour se rendre au bureau, et de plus on [6]*travailler* au chaud.

A l'avenir, on [7]*voyager* très loin et à des prix très compétitifs. Pendant le voyage, on [8]*projeter* aux voyageurs beaucoup de films pour leur faire passer le temps. Les avions du type 747 [9]*être* très spacieux et [10]*avoir* jusqu'à 800 places. De plus, on est déjà en train de développer un nouvel avion qui [11]*permettre* de transporter jusqu'à 1 000 passagers.

La médecine fait de gros progrès, surtout dans le domaine chirurgical, et bientôt on [12]*opérer* sans être obligé d'ouvrir les patients.

Réponses: 1. sera.   2. seront.   3. sonnera.   4. découvriront.   5. aura.   6. travaillera.   7. voyagera.   8. projettera.   9. seront.   10. auront.   11. permettra.   12. opérera.

COURRIER DES LECTEURS

Une jeune fille écrit cette lettre à un magazine pour jeunes.

Voici deux lettres qu'elle a reçues:

Bonjour. Je m'appelle Laurence. J'ai 16 ans et je fume depuis deux ans. Je voudrais m'arrêter mais je ne sais pas comment m'y prendre. Est-ce que les lecteurs de votre magazine pourraient m'aider ?

Je te conseille de trouver une activité, un sport. Comme ça tu ne penseras plus à fumer. Et si tu n'arrêtes toujours pas, mange des friandises, c'est meilleur et ça ne peut pas te faire de mal.

François N.

Si tu en as vraiment envie, tu dois pouvoir y arriver de toi-même. Tu as eu envie de faire comme les autres, c'est normal. Mais ne t'inquiète pas trop. Il n'est pas interdit par la loi de fumer. C'est donc ton droit.

Gabrielle H.

En travaillant à deux, écrivez une lettre dans laquelle vous donnez à Laurence des conseils utiles.

Interlude littéraire

François Mauriac (1885-1970)

François Mauriac

François Mauriac est né à Bordeaux en 1885 dans une famille de la bourgeoisie catholique. Profondément attaché à ses racines provinciales, il a situé tous ses romans dans la région bordelaise. Ayant perdu son père très jeune, il a été élevé par une mère fort pieuse et a passé de longues vacances dans les Landes, parmi les étangs et les pinèdes. Après avoir fait des études de lettres, il se lance très tôt dans la littérature et publie en 1922 *Le Baiser au lépreux*, dans lequel s'affirment déjà ses dons d'observation et de fin psychologue. De nombreux autres romans suivront, dont *Thérèse Desqueyroux* (1927), *Le Nœud de Vipères* (1932), *Le Mystère Frontenac* (1933), *La Pharisienne* (1941). Il reçoit en 1952 le Prix Nobel de Littérature et il consacrera les dernières années de sa vie à une œuvre journalistique autant que littéraire. Il meurt en 1970.

Le Baiser au lépreux

Ce très court roman est l'histoire d'un couple mal assorti et tragique. Jean Péloueyre est un jeune homme petit, laid et mélancolique qui vit seul avec un père exigeant et maladif. Noémie d'Artiailh, dont les parents ont des difficultés financières, est poussée par sa famille et par le curé du village à épouser Jean. Elle accepte, car « on ne refuse pas le fils Péloueyre ; on ne refuse pas des métairies, des fermes, des troupeaux de moutons, des pièces d'argenterie, le linge de dix générations bien rangé dans des armoires larges, hautes et parfumées, – des alliances avec ce qu'il y a de mieux dans la lande. On ne refuse pas le fils Péloueyre. » Le mariage est un échec : les deux jeunes gens sont aussi malheureux l'un que l'autre et ne se rejoignent que dans la prière. Dans le passage qui suit, après la mort assez rapide de Jean, Noémie, qui est attirée par un jeune médecin, renonce à la tentation. Elle restera fidèle au souvenir de son mari.

... Autour d'elle, les genêts bourdonnaient d'abeilles, et des taons, des mouches plates, sorties des brandes, piquaient ses chevilles. Noémie sentait battre son cœur comprimé de personne forte, et ne pensait à rien qu'à cette poussiéreuse route qu'une récente coupe de pins livrait toute entière au feu du ciel et où, pour le retour, elle devrait parcourir encore

trois kilomètres. Elle éprouvait que les pins innombrables, aux entailles rouges et gluantes, que les sables et les landes incendiées la garderaient à jamais prisonnière. En cette femme inculte et sans intelligence s'éveillait confusément le débat qui avait déchiré Jean Péloueyre : N'était-ce pas cette terre de cendre, cette vie érémitique qui obligeait une mal heureuse mourant de soif à hausser la tête, à se tendre toute vers le rafraîchissement éternel ? Elle essuyait avec son mouchoir bordé de noir ses mains moites et ne regardait rien que ses souliers poudreux et le fossé où des fougères naissantes s'ouvraient comme des doigts. Pourtant elle leva les yeux, reçut au visage cette odeur de pain de seigle qui était l'haleine de la métairie, et brusquement fut debout, tremblante : un tilbury qu'elle reconnut était arrêté devant la maison. Que de fois, entre les volets rapprochés d'une fenêtre, avait-elle regardé luire ces essieux avec plus d'amour que des étoiles ! Elle secoua sa robe pleine de sable ; – des charrois cahotaient ; un geai cria ; Noémie, dans un nuage de mouches plates, demeurait immobile, les yeux sur cette porte qu'un jeune homme allait ouvrir. Bouche bée et la gorge gonflée, elle attendait – humble bête soumise. Lorsque s'entrebâilla la porte de la métairie, ses regards fouillèrent l'ombre où se mouvait un corps ; une voix familière ordonnait en patois d'énormes doses de teinture d'iode... Il parut : le soleil alluma chaque bouton de sa veste de chasse ; le métayer tint le cheval par la bride ; il disait qu'on était à la saison la plus dangereuse pour les incendies : tout est encore sec, rien ne verdit sous bois et les landes ne sont plus inondées... Le jeune homme rassembla les rênes. Pourquoi Noémie reculait-elle ? Une force suspendait son élan vers celui qui s'avançait, la tirait en arrière.

AVEZ-VOUS UNE BONNE MÉMOIRE?

LISEZ-VOUS ATTENTIVEMENT? TESTEZ-VOUS!

Pourquoi certains se souviennent-ils des visages, d'autres des chansons, d'autres de tous les chiffres qu'ils apprennent ? A l'école, on retient parfois plus facilement ce qu'on entend. On a tendance à répéter à haute voix ses conjugaisons pour bien les retenir. Comme une musique. Mais parfois aussi on retient mieux ce qu'on voit (images, photos, visages). On revoit les pages dans sa tête et on se souvient très facilement des cartes ou graphiques. Bien sûr, l'idéal est de penser à combiner les deux : se rappeler une leçon grâce à des schémas par exemple, mais aussi par une bonne écoute. En général, les jeunes enfants retiennent plus facilement les images. Voilà pourquoi ils sont très adaptés au monde d'aujourd'hui (télévision, jeux vidéo, bandes dessinées). D'ailleurs, les professeurs le savent bien : mieux vaut un bon documentaire ou des photos qu'un long discours.

Toutes les formes de connaissance sont intéressantes. Mais la lecture reste quand même un des meilleurs moyens de cultiver sa mémoire. Les neurones classent des milliers de mots, comme dans une énorme bibliothèque. Quand nous lisons un mot que nous avons déjà lu, ils le comprennent immédiatement. Il était bien rangé sur les étagères. Par contre, si nous ne lisons pas assez, nous avons un problème avec le vocabulaire inconnu. Nos neurones, affolés, ne trouvent pas leurs mots. Il ne leur reste plus qu'à ordonner à notre bras d'attraper... le dictionnaire.

Pour savoir si vous avez une bonne mémoire, regardez bien ces images (il s'agit de vocabulaire mentionné dans ce magazine). Puis, fermez votre livre et essayez de vous souvenir de tous les termes que vous avez vus.

Unité 4

Provence

Le musée d'Art
Moderne, Nice

L'Usine Robertet
à Grasse

Briançon

HAUTES-ALPES

Gap

ALPES-DE-
HAUTE-PROVENCE

Alpes Niçoises

A7
E15 **Orange**

Carpentras

Rhône

Digne

Verdon

ALPES-
MARITIMES

Avignon

VAUCLUSE

Durance

A51
E712

Var

E74
A10 **Menton**

Nice

**Monte Carlo-
MONACO**

Arles

E714

Durance

Grasse

Antibes

Aix-en-Provence

A54

BOUCHES-DU-
RHONE

La
Camargue

Etang
de
Berre

A51

E80 A8

VAR

Cannes

St Tropez

A52

La Côte d'Azur

A50

A57

MARSEILLE

Toulon

MER
MEDITERRANEE

Raffinerie près de Marseille

Chevaux sauvages en
Camargue

Baie des Anges, Nice

Esquisse de la région

1 Une région de contrastes

Provence-Alpes-Côte d'Azur est une région de contrastes: contrastes géographiques entre les plaines, les montagnes, le littoral ; contrastes entre espaces dépeuplés et espaces denses. La région regroupe des départements dépeuplés comme les Alpes-de-Haute-Provence dont les densités de population sont de 20 habitants/km², et des départements fortement peuplés à densité de population entre 130 à 346 habitants/km², comme les Bouches-du-Rhône, les Alpes-Maritimes, le Var, le Vaucluse.

2 Une agriculture en voie de développement

Dans le domaine agricole, s'opposent une agriculture pauvre en voie de disparition dans les zones de l'arrière-pays et de montagne (élevage ovin . . .) et une agriculture péri-urbaine moderne très intégrée à la société industrielle et spécialisée dans un certain nombre de productions (cultures sous serre sur l'étang de Berre, floriculture dans les Alpes-Maritimes, fruits dans le Vaucluse . . .).

3 Une terre de migrations

La Provence est historiquement une terre de migrations. Migrations internes à la région entre les zones sous-peuplées et le littoral, migrations nationales, en particulier de personnes âgées souvent aisées, (alors qu'en France la part des plus de 65 ans est de 14%, elle est de 21,5% dans les Alpes-Maritimes, 17,7% dans le Var . . .), migrations internationales en provenance des pays du pourtour méditerranéen. En 1962, l'installation de près de 400 000 rapatriés d'Afrique du Nord, puis l'immigration maghrébine ont profondément modifié la population provençale.

1 Lisez les textes puis répondez aux questions suivantes.
  (a) Quels sont les contrastes soulignés dans le premier paragraphe?
  (b) Quels types d'agriculture pratique-t-on dans les zones de l'arrière-pays et cells des départements fortement peuplés?
  (c) Nommez les trois types de migration mentionnés dans le troisième paragraphe.

Comment exprimer la comparaison.

Exemple:

*Toulon, qui est presque **aussi** grand **que** Nice, est **moins** grand **que** Marseille mais **plus** grand qu'Antibes.*

Pratique

1 Dites si les affirmations suivantes sont vraies ou fausses.

(a) Dans le nord-est de la région la densité de population est plus grande que dans les Bouches-du-Rhône.
(b) La production agricole est moins variée dans les zones de l'arrière-pays que sur le littoral méditerranéen.

(c) Il y a un plus grand pourcentage de personnes âgées de plus de 65 ans dans certaines parties de la Provence que dans l'ensemble du territoire.

2 En vous basant sur les textes ci-dessus et sur l'exercice précédent, écrivez quelques phrases comparant les départements de l'arrière-pays aux autres départements.

Exemple:

*Les départements des Bouches-du-Rhône, du Var et du Vaucluse sont **plus peuplés que** les Alpes-Haute-Provence.*

Des habitants de la région

Des Provençaux vous parlent

2 **Ecoutez Madame H, employée à la mairie de Nice, qui parle de la situation en ce qui concerne les catégories sociales dans la région Provence-Alpes-Côte d'Azur. Complétez les phrases suivantes en indiquant les raisons données par Madame H.**

   (a) L'activité industrielle est assez faible parce que. . . .

   (b) Beaucoup de personnes viennent prendre leur retraite dans la région à cause de. . . .

   (c) Le taux de chômage n'a rien à voir avec le nombre de personnes qui ne travaillent pas car. . . .

L'emploi de *parce que, car* et *à cause de*

Parce que et **car** sont des conjonctions qui sont suivies d'une phrase.
A cause de et **grâce à** sont des prépositions qui ne ne sont pas suivies d'une phrase.

Comparez les phrases suivantes.

*La Côte d'Azur attire beaucoup de touristes **car** son climat est très agréable.*

*La Côte d'Azur attire beaucoup de touristes **grâce à** son climat.*

*Certaines routes de Provence sont sinueuses **parce qu'**il y a des montagnes.*

*Certaines routes de Provence sont sinueuses **à cause des** montagnes.*

---

3 **Ecoutez. Voici deux personnes qui parlent de différents aspects de la région:**

   1 Une institutrice retraitée;

   2 Un habitant de Digne.

  (a) **Cochez la bonne case pour indiquer qui parle des sujets suivants (dans certains cas il pourra s'agir des deux).**

	Personne 1	Personne 2
un climat rude à l'intérieur		
l'utilisation de l'eau		
Les arrière-pays sont devenus terres d'immigration.		
migrations nationales		
Les régions de l'intérieur deviennent moins isolées.		

  (b) **D'après l'habitant de Digne, quels sont les attraits de la région?**

Plein soleil

La Provence–Côte d'Azur

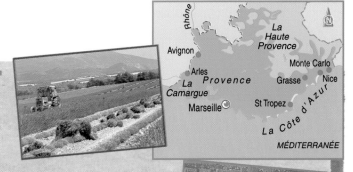

Le Midi

C'est ainsi qu'on a baptisé le sud-est de la France. Il bénéficie d'un climat méditerranéen : les étés sont chauds et secs, le ciel est toujours bleu, les hivers sont doux. Un vent violent, le mistral, balaie parfois la région.

Le Midi, c'est le pays des oliviers, des figuiers, des mimosas, de la lavande . . . et de la pétanque!

■ **La Provence** offre des paysages variés :
  – **La Camargue**
  plaine marécageuse formée par le delta du Rhône, avec de nombreux étangs, où vivent des chevaux sauvages, des taureaux et des multitudes d'oiseaux.
  – **La Haute Provence**
  région montagneuse constituée par le sud des Alpes.

■ **La Côte d'Azur** : de Cassis à Menton c'est *la Riviera*, paradis du tourisme, constituée de plages de sable et de criques dominées par les massifs des Maures et de l'Estérel.

Une longue histoire

Les Grecs créèrent des comptoirs de commerce en Provence dès le VIe siècle avant J-C. L'occupation romaine a laissé de nombreux vestiges.
La Provence a été rattachée au royaume de France au XVe siècle, mais le Comté de Nice, n'est devenu français qu'en 1860.

Son point fort : le tourisme

■ **Agriculture** Cultures maraîchères, cultures de fleurs et de lavande, et de vignobles. Riz en Camargue.
■ **Activité traditionnelle** Les parfums (à Grasse).
■ **Ports** Marseille est le premier port français.

Les «stars» du Midi

■ **La Camargue**, Les Saintes-Maries-de-la-mer (lieu de pèlerinage des gitans), Arles.

■ **Avignon**, capitale de la papauté au XIVe siècle : les remparts, le palais des Papes, le pont d'Avignon, grand festival de théâtre chaque année en juillet.

La principauté de Monaco a conservé un statut particulier : c'est un état souverain dirigé par la famille Grimaldi (le prince Rainier depuis 1949), mais il fait partie de l'union douanière française. Le casino de Monte-Carlo est très célèbre.

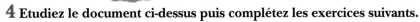

4 Etudiez le document ci-dessus puis complétez les exercices suivants.

   (a) Cherchez sur la carte les localités mentionnées puis remplissez le tableau avec les renseignements requis comme dans l'exemple.

Localité	Situation	Courte description
La Camargue	*A l'est de Marseille et entre les bras du delta du Rhône*	*Plaine marécageuse*
La Côte d'Azur		
Marseille		
Avignon		
La principauté de Monaco		
Grasse		

   (b) Ecrivez quelques phrases sur chacun des sujets suivants concernant la région.

        • le climat • la production agricole • la végétation

5 Ecoutez et lisez une partie d'une émission sur Radio Monte Carlo.

Section A

Présentatrice: Allô.

Madame Fossecave: Ici Madame Fossecave.

Présentatrice: Bonjour Madame. "Bâtons Rompus" vous écoute. Qu'est-ce qui vous préoccupe?

Madame Fossecave: Voici sept ans que j'habite Nice et je pense que je peux me considérer désormais comme une Niçoise à part entière. Depuis lors, j'ai pu apprécier la beauté de notre ville: la place Masséna, Acropolis, les musées d'art moderne, des Beaux Arts, le musée Chagall (je regrette que le musée Matisse n'offre pas davantage d'œuvres de cet artiste si célèbre), les facultés, les nombreux lycées, les rues piétonnes . . . Mais ayant, avant tout, un esprit critique et, dans le but d'améliorer certaines choses, permettez-moi maintenant de vous dire ce qui ne va pas.

Section B

Présentatrice: Vous avez la parole, Madame.

Madame Fossecave: D'abord, les trottoirs de la ville: ils sont, partout, partout, en mauvais état: dans certaines rues, ils sont plus que lamentables. Ils sont sales, pleins de trous ou de bosses et le malheureux piéton risque à tout moment de se faire une entorse. Il y a même eu des chutes fatales. En ce qui concerne la propreté de la ville, c'est un vrai scandale: quand j'étais enfant, il y a de cela plus de soixante ans, je voyais sans arrêt les balayeurs laver les rues de Paris, et

La Fontaine, place Masséna, Nice

les concierges frotter les trottoirs. Ici, ce n'est pas le cas. Je note, par exemple, que la rue de France n'est jamais nettoyée et que celle où j'habite est pleine de trous. Quant à la Promenade des Anglais qui devrait être le domaine exclusif des piétons, il est inadmissible qu'elle soit envahie par les patins à roulettes et les vélos. Il serait simple de faire tracer une voie réservée aux deux roues et aux patins. A tout instant, les malheureux piétons risquent d'avoir une cheville ou une jambe cassée. Où sont le repos et la tranquillité? Et pour ce qui est de la piscine Jean Médecin: elle est à refaire car elle est trop vieille et il y a plein de courants d'air.

Section C

Présentatrice: Mais Madame . . .

Madame Fossecave: Quant aux autobus urbains, ils sont absolument détestables car ils sont en très mauvais état et le malheureux voyageur risque à tout instant l'accident. La ville est donc dangereuse à certains points de vue. Je pense aussi que le Palais de la Méditerranée devrait être transformé en établissement thermal, car c'est quelque chose qui manque à Nice alors qu'il y en a dans de nombreux endroits en France. A mon avis, il y a donc beaucoup à faire pour améliorer Nice.

Présentatrice: Eh bien, merci Madame Fossecave de vos suggestions . . . et j'espère que d'ici quelques années vous aurez une opinion plus positive de notre belle ville de Nice.

Section A

(a) Dans la liste ci-dessous, cochez les endroits et les monuments mentionnés par Madame Fossecave.

l'Acropolis	le musée des Beaux Arts
le vieux port	la Promenade des Anglais
le musée d'art moderne	la place Masséna
le Château	les rues piétonnes
le musée Chagall	la place Garibaldi
le musée Matisse	

(b) Est-elle niçoise?

(c) Pourquoi se plaint-elle?

Le musée Matisse, Nice

Section B

(a) **Quels sont les griefs de Madame Fossecave concernant**
- les trottoirs de la ville?
- la propreté dans la ville?
- la Promenade des Anglais?
- la piscine Jean Médecin?

(b) **Quel âge a-t-elle, à peu près?**

(c) **Pour quelles raisons parle-t-elle de Paris?**

Section C

(a) **Pourquoi n'aime-t-elle pas les autobus urbains?**

(b) **Selon Madame Fossecave, qu'est-ce qui manque à Nice?**

6 **Imaginez que nous sommes dix ans plus tard et que la ville a été modernisée et embellie. Ecrivez 10 phrases au passé où Madame Fossecave se rappelle le Nice qu'elle avait tant critiqué.**

Exemple: Les trottoirs étaient partout en mauvais état.

Les terminaisons de l'imparfait

je	. . . *-ais*
tu	. . . *-ais*
il/elle	. . . *-ait*
nous	. . . *-ions*
vous	. . . *-iez*
ils/elles	. . . *-aient*

Nice: la vieille ville

Vacances et emploi

7 Vous avez envoyé une lettre à un(e) ami(e) d'Avignon pour lui demander des renseignements sur la région. Vous avez l'intention d'y passer vos vacances cet été. Sur votre répondeur vous entendez un message. Ecoutez la cassette et rédigez un fax dans lequel vous donnez les détails qu'on vous demande.

8 Vous cherchez un travail comme serveur/serveuse dans un bar à Nice. On vous a donné l'adresse d'une pizzeria. En réponse à votre lettre, vous recevez un message sur votre répondeur. Ecoutez bien le message et écrivez un fax à l'adresse donnée par l'expéditeur avec les renseignements demandés.

9 Ecoutez bien cette publicité au sujet d'Antibes puis dites si les phrases suivantes sont vraies ou fausses.

- (a) Antibes se trouve sur la côte Atlantique.
- (b) La ville d'Antibes est située entre Nice et Monaco.
- (c) Le port a une renommée mondiale, surtout pour la pêche.
- (d) C'est un endroit idéal pour les petits plaisanciers.
- (e) Le fort est connu sous le nom de Fort Vauban.
- (f) Il surplombe la ville et est illuminé tous les week-ends pendant l'été.
- (g) Le Vieil Antibes se trouve à quelques kilomètres du port, donc pour l'explorer il vous est conseillé de prendre le bus.
- (h) Dans le château Grimaldi se trouve le musée Picasso.
- (i) Le musée est ouvert tous les soirs à partir de 20h.
- (j) Il vous est fortement conseillé de déguster des spécialités de la région.

10 Vous travaillez à Nice depuis déjà un an et plusieurs de vos ami(e)s vous ont demandé de leur trouver un emploi. Cela vous a donné l'idée de jouer le rôle d'intermédiaire entre ceux qui cherchent et ceux qui offrent un emploi. Vous vous êtes fait un dossier, sous forme de notes, pour vous aider à placer vos amis. Trouvez dans les offres d'emploi un travail convenable pour:

Matthew: travail comme barman – bon hôtel – voudrait du temps libre – disponible pour toute la saison.

Imogen: pleine d'énergie – voudrait travail avec enfants – logement si possible – à proximité de la mer.

Lisa: bien qualifiée – connaît français et allemand – a déjà fait un stage dans l'hôtellerie en Allemagne – préfère travail dans l'administration d'un hôtel.

Frank: déjà bien qualifié comme chef en Angleterre – a travaillé dans un grand hôtel à Brighton – cherche travail dans un bon hôtel en France – voudrait se perfectionner en français.

OFFRES D'EMPLOI

Gens de maison

Cherche couple pré-retraité sérieux pour gardiennage à l'année. Ecrire à Havas Nice numéro 937.

Cherchons couple gardiens, jardinage, piscine entretien villa contre villa séparée + rémunération pendant présence propriétaire. Havas Nice numéro 235.

Recherche pour Cannes garde de nuit pour personne âgée. Tél. 93.02.00.19.

Couple retraité cherche femme de ménage logée nourrie rémunérée. Ecrire Havas Régies Nice 5657.

Cherche femme de ménage 6h/semaine Nice-centre, références, photo, prétentions. Ecrire Havas Régies Nice 23232.

Fréjus-Plage, cherche pour saison cuisinier, jeune, sérieux, travaillant seul. Tél. 94.27.11.94 de 11 à 14 heures ou 94.11.23.33, laisser message répondeur.

Corse: bar cherche barmaids (serveuses) logées, fixe, pourboires. Appelez dès 18h30: 95.00.11.32.

Jeune femme dynamique, expérience, pour villa Cap-d'Ail et garde d'enfant, parlant anglais. Nourrie, logée. Ecrire avec C.V., références, photo, prétentions, Havas Régies Monaco 955.

Employés d'hôtel brasserie

Important Hôtel de chaîne, 3 étoiles, recherche barman, serveur restauration temps partiel. Bonne présentation, disponibilité, anglais, contrat saisonnier. Envoyer CV à Havas Régies Nice R/22255.

La Grande Bastide, Relais et Châteaux 4 Etoiles, Havas Nice 9595. Var. Recherche pour saison et entrée immédiate : un commis de cuisine, un chef de partie et un commis de restaurant. Logé. Téléphoner 94.03.72.51.

Restaurant glacier Juan-les-Pins cherche pour saison serveuses expérimentées, libres de suite. Envoyer CV + photo Havas Régies Antibes Réf.929.

Palace Cannes recherche son **chef plagiste**, MNS, bilingue anglais, références exigées. Ecrire Havas Régies Nice R/22251.

Palace Cannes recherche **réceptionnaire caissière**, trilingue, références exigées, connaissance HIS souhaitée. Ecrire Havas Régies Nice R/184511.

Hôtel 3 étoiles Saint-Jean-Cap-Ferrat, recherche femmes de chambre, cuisinier. 93.12.48.46.

Fréjus-Plage, cherche pour saison cuisinier, jeune, sérieux, travaillant seul. Tél. 94.50.03.31 de 11 à 14 heures ou 94.44.55.61, laisser message au répondeur.

11 *Dialogue téléphonique.* **Téléphonez aux endroits où vous comptez trouver un emploi pour vos ami(e)s. Votre partenaire vous demandera de lui fournir les détails suivants:**

- disponibilité
- qualifications
- personnalité

Vous demanderez:

- les heures de travail
- les dates du travail
- les conditions de travail

On vous demandera les coordonnées de vos ami(e)s ou on proposera que vos ami(e)s prennent contact en personne.

La saison à Nice

Plages: la grande ouverture

Après la grisaille de vendredi, la Prom' a retrouvé le soleil et les plagistes le sourire. Depuis deux semaines, ils s'activaient pour réussir ce long week-end pascal, moment attendu entre tous, car il lance la saison. Si les touristes boudent Pâques, les chances s'amenuisent de les voir débarquer en masse l'été. Fort heureusement, la fréquentation semble, sinon en forte hausse, du moins bien orientée...

Les transats qui s'étalent au soleil, les drapeaux qui flottent au vent, l'accent des belles Italiennes qui enchante les passants, la blondeur des Allemandes qui bronzent discrètement : on aurait pu croire, hier après-midi sur la Prom', que l'été régnait sur la Baie des Anges. Mais l'air vif et l'eau fraîche suscitaient chez certains la nostalgie de la canicule.

Stabilité des prix

On a boudé la baignade, mais pas les matelas. Les quatorze établissements niçois étaient sur leur 31 pour accueillir cette clientèle. Au menu de la nouvelle saison, des tarifs stables. A l'Opéra-Plage, par exemple, Michel Meffre affiche les prix d'il y a trois ans.

"Il faut maîtriser les coûts tout en étoffant les prestations. Sans cela, on dissuade les familles. On ne peut plus se contenter d'être un loueur de transat. Il faut gérer nos affaires comme des complexes. On ne garde pas les gens toute la journée sans les distraire."

L'Opéra-Plage s'est spécialisé dans les animations nocturnes. Cette année, des matinées musicales, des défilés de mode et des après-midi sport (boules, basket, volet, tennis, ballon) complètent le tableau.

"Je veux de l'action et du divertissement intelligent. Dans la salle Louis-Nacera, je propose, sur 300 m², une exposition tournante de peintures et de sculptures, mais aussi du café-théâtre, des rencontres, des débats. Je sais que la conjoncture est morose, mais il ne nous appartient pas, à nous professionnels, d'exagérer la situation. Vous imaginez un réalisateur de cinéma qui déclare son film mauvais !"

Atout sourire

Une gaîté très "pro" envahit les établissements de la Promenade. "Je défends l'atout sourire. N'oublions pas que nous appartenons à la Provence du soleil, celle de Giono et de Pagnol."

Retour des Russes

Parmi les motifs d'optimisme, le retour de la clientèle russe et la bonne tenue de la clientèle hexagonale, très fidèle à la Côte d'Azur pendant les vacances scolaires.

Voici, pour vous aider à comprendre cet article, la définition de quelques mots et expressions:

la grisaille: un temps gris

s'étaler: s'étendre

étoffer les prestations: enrichir les services

le plagiste: celui qui gère un établissement de plage ou qui y travaille comme serveur

être sur son 31: être élégant

gérer: administrer

pascal: adjectif: qui concerne la fête de Pâques

la canicule: période de grande chaleur

la conjoncture: ensemble des éléments qui constituent la situation économique actuelle

bouder: marquer de la mauvaise humeur; bouder un endroit = ne plus y aller

s'amenuiser: devenir plus petit

hexagonal: adjectif qui a rapport à l'hexagone: polygone qui a six côtés: l'Hexagone = la France.

12 Après avoir lu tout l'article, relevez dans la première section ('Après la grisaille . . . la nostalgie de la canicule') les expressions suivantes et placez-les dans une des catégories ci-dessous.

la grisaille de vendredi

les drapeaux qui flottent au vent

la blondeur des Allemandes qui bronzent discrètement

la Prom' a retrouvé le soleil

les touristes boudent Pâques

l'air vif et l'eau fraîche

Motifs de pessimisme pour les plagistes	Motifs d'optimisme pour les plagistes

13 Présentez à la classe les résultats de votre travail et commentez-les.

14 Relisez la deuxième section de l'article (tout le paragraphe intitulé 'Stabilité des prix'), puis rédigez des questions destinées à Michel Meffre. Vous voulez savoir ce qu'il a l'intention de faire pour attirer les touristes à l'Opéra-Plage.

Exemple: ''Monsieur Meffre, avez-vous l'intention de baisser vos prix?''

D'autres membres de la classe pourraient préparer les réponses de Michel Meffre en vue d'un jeu de rôle.

15 Voici une liste de personnes mentionnées dans le texte. Faites-les correspondre avec les expressions qui suivent.

les Italiennes   les plagistes   les Allemandes   Monsieur Meffre

Giono et Pagnol   les familles françaises

(a) Ils ont recommencé à sourire.

(b) Elles enchantent les passants.

(c) Elles se font bronzer discrètement.

(d) Il ne faut pas hausser les prix.

(e) Je voudrais monter des expositions de peintures.

(f) La Provence du soleil.

(g) Ils viennent toujours pendant les vacances scolaires.

16 Remplissez les blancs dans ce résumé de l'article 'Plages: la grande ouverture'. Choisissez les mots dans la liste ci-dessous. Il y a plus de mots qu'il n'y a de blancs.

Les plagistes sont plus . . . quant au nombre de touristes qui viendront à . . . cet . . . à cause du . . . temps après la . . . de ces derniers jours. Bien qu'on ne se baigne pas on se fait . . . . Mais pour . . . une clientèle les plagistes doivent . . . les prix. En plus, il faut . . . aux touristes une grande variété d'. . . . Mais il faut surtout être . . . . Malgré le beau temps, les plagistes sont . . . . Ceci se manifeste en partie par le fait qu'on a moins . . . que l'an dernier. Il y a quand même des motifs d'optimisme. Il y a par exemple le retour des touristes . . . et en général les . . . restent fidèles.

Français optimistes été grisaille baigne bronzer sourire activités sceptiques Italiens attirer meilleur Nice contrôler prudent embauché offrir russes pluie

17 *Rédaction*

(a) Faites une publicité pour Opéra-Plage à l'intention des jeunes. Vous pouvez ajouter des activités à celles mentionnées dans l'article.

(b) Ayant passé quelques jours à Nice, vous écrivez une lettre à un(e) ami(e) à Paris pour lui parler de vos vacances qui ont été plutôt décevantes.

18 Un reporter de *Nice-Matin* fait un sondage auprès des touristes sur les plages et sur la Promenade des Anglais. Voici un échantillon des questions. Ecoutez les réponses de trois visiteurs et notez-les dans les cases.

Questions posées par le reporter

(a) Vous êtes de quelle nationalité?

(b) Vous êtes ici en vacances ou pour affaires?

(c) Vous êtes accompagné(e)?

(d) Que pensez-vous du service et des attractions sur la plage?

(e) Avez-vous quelque chose à ajouter?

	Nationalité	Raison du séjour	Accompagné(e) de . . .	Opinions	Suggestions
Première personne					
Deuxième personne					
Troisième personne					

Section A

Il n'est pas encore 7 heures. Dans le petit bourg de Placassier, un hameau de Grasse (Alpes-Maritimes), la vie retient son souffle : tout est silence avant le jour. Nous sommes sur l'exploitation d'Hubert Biancalana. Un demi-hectare de jasmin, soit 22 à 28 kilos de récolte journalière (une tonne et demie par saison, en moyenne), réparti en trois carrés de fleurs. On dit « la fleur » ici à Grasse. Et ce matin justement, la fleur, qui ne s'ouvre qu'à 17 degrés C – est belle, bien ouverte, « un vrai plaisir ». En plus, elle est lourde de rosée. Pour les cueilleuses, payées au poids (77 francs le kilo), ce sera une bonne journée. Pas comme avant-hier, où elles ont dû repartir les mains vides, les pluies des jours précédents ayant gardé les jasmins clos.

Les cueilleuses, justement, sont déjà là, penchées sur les plants que la brume encense. Elles se retrouvent chaque année, toujours la même petite équipe (six femmes, moyenne d'âge 55 ans). En mai pour la rose et de juillet à octobre pour le jasmin. La plupart d'entre elles sont « nées dans le jasmin ». *« Ma mère m'amenait dans les champs, je n'avais pas deux ans,*

Les petites mains des champs de jasmin

raconte Charlotte, une des plus âgées. A 6 ans, j'avais mon propre panier. »

Contre l'humidité du petit matin, elles portent des tricots de laine, des jupes ou des caleçons, et des chaussettes superposées dans de grosses chaussures que la boue embarrasse. A leur taille pend un petit panier d'osier, relié par une cordelette. Et près du mur de pierre, elles ont posé leur chapeau de paille, en prévision du soleil de midi.

Quant à la technique, elle est assez simple : on prend délicatement le pédoncule rose de la fleur entre le pouce et l'index, et l'on tire. La difficulté, c'est d'aller vite, de cueillir des deux mains. Il faut 10 000 fleurs pour faire un kilo, et cela prend deux heures, si l'on travaille bien.

C'est agréable, quand il fait beau. Mais quand il pleut, c'est vraiment pas drôle. Les bottes collent à la terre, alors on est obligé de cueillir pieds nus.

Section B

La brume devient mauve. Quelques moustiques dansent au-dessus des têtes et piquent les bras nus. Le carillon de l'église sonne 8 heures.

Autrefois à Grasse, 1 500 à 2 000 familles vivaient du jasmin. Aujourd'hui, les producteurs, qui ne sont plus qu'une centaine, exploitent surtout la rose ; seule une partie d'entre eux cultive le jasmin. « *On ne peut pas se permettre d'avoir une seule*

récolte, explique Hubert Biencalana. *S'il y a un jour de grêle, toute la saison est fichue. Cette culture-là est restée très artisanale : elle n'a presque pas changé depuis un siècle.* » La fleur d'ici est la meilleure au monde, la plus odorante. Tous les parfumeurs le reconnaissent. Mais elle coûte cher, beaucoup plus que celle d'Inde ou d'Afrique du Sud.

Il est dix heures. Un rayon de soleil s'installe sur le sentier. Sous le vent, les oliviers bruissent comme une feuille d'aluminium. Les cueilleuses viennent d'achever le premier carré (il est tout vert, piqueté de bourgeons mauves ; il ne reste plus une seule tache blanche).

Le soleil commence à taper fort, dans le bourdonnement de guêpes et le discret bavardage des cueilleuses. Philomène se met à chanter, en italien. Il y a trop à cueillir (c'est le troisième carré, qu'on appelle « le champ de la mort », à cause de ses tiges entrelacées et prodigues).

Peu à peu, les cueilleuses se redressent, le souffle court, et les mains au creux des reins. Cela fait près de sept heures qu'elles travaillent, sans interruption. *« De toute façon, il vaut mieux ne pas s'arrêter, parce qu'on n'aurait pas le courage de reprendre. »* C'est la fin, les champs moutonneux ont été tondus. Le parfum oriental a disparu, cédant la place au romarin. Toutes portent leur corbeille à la pesée, dans l'établi. Hubert Biancalana s'installe à une petite table de formica rouge, ornée de trois figues mûres, avec la grosse balance patinée qui trône juste devant. Les corbeilles sont posées une à une : 4,6 kg, 4,3 kg… Chaque récolte est consignée dans le carnet des cueilleuses. On fera le total à la fin de la saison : les meilleures d'entre elles atteindront 300 kilos. Soit un peu plus de 20 000 francs chacune. Pour trois mois. Et trois millions d'étoiles cueillies une à une. De quoi dépeupler un bout de Voie lactée.

Etude de vocabulaire

19 *Section A* **Trouvez dans un dictionnaire une définition de chacun des mots ou expressions qui suivent.**

la vie retient son souffle récolte rosée boue
taille osier paille pédoncule coller

20 **Lisez vos définitions à un(e) voisin(e) qui essaiera de deviner le mot ou expression qui y correspond.**

21 *Section B*   Cochez dans la liste suivante les noms de fleurs, d'arbres et de parties de fleurs.

moustiques jasmin rose grêle oliviers feuille bourgeons tache
bavardage tiges parfum romarin figues étoiles voie

Exercices de compréhension

22 *Section A*   Dans le premier paragraphe de l'article, qu'est-ce qui indique que ce sera une bonne journée pour les cueilleuses?

23 Lisez le deuxième paragraphe et répondez aux questions suivantes.
 (a) Combien y a-t-il de cueilleuses?
 (b) Quel âge ont-elles en moyenne?
 (c) Quand cueillent-elles la rose?
 (d) Quand cueillent-elles la fleur de jasmin?

24 Lisez le troisième paragraphe et complétez les phrases suivantes.
 (a) Des . . . et des . . . les protègent contre l'humidité du petit matin.
 (b) Leur . . . de . . . les protège contre le s . . . de . . . .

25 En vous référant au quatrième paragraphe, complétez les phrases ci-dessous concernant la technique des cueilleuses.
 (a) Pour travailler bien et efficacement, il faut . . . .
 (b) Pour travailler vite, il faut . . . .
 (c) Pour ramasser un kilo de fleurs, il faut . . . pendant deux heures.

Il faut **suivi d'un infinitif**

Cette construction exprime la nécessité de faire quelque chose.

Exemple: Pour bien comprendre ce texte, **il faut** *le* **lire** *plusieurs fois.*

26 *Section B*   Décrivez la scène évoquée par le premier paragraphe de l'article.

27 Dans le cinquième paragraphe, trouvez des phrases ou expressions qui indiquent la fatigue des cueilleuses.

28 Répondez aux questions suivantes.
 (a) Que fait Hubert Biancalana avec les corbeilles?
 (b) Que marque-t-il dans les carnets?
 (c) Expliquez pourquoi le reporter fait allusion à la Voie lactée.

29 Relisez le texte. Que représentent les données ou chiffres suivants?

> *Exemple:* Un demi-hectare: c'est la superficie de l'exploitation d'Hubert Biancalana.
>
> 22 kg à 28 kg: . . . .
> Une heure et demie: . . . .
> 77 francs le kilo: . . . .
> 55 ans: . . . .
> 1 500 à 2 000 familles: . . . .
> 4,6 kg, 4,3 kg: . . . .
> 300 kg: . . . .
> 20 000 francs: . . . .
> 3 000 000: . . . .

30 Quels sont, à votre avis,
  (a) les aspects agréables du travail des cueilleuses?
  (b) les aspects désagréables du travail des cueilleuses?

31 Quels sont les détails (bruits, odeurs, changements de température . . .) qui indiquent que la journée avance?

32 En vous inspirant du texte, rédigez une lettre où vous décrirez une journée passée à cueillir la fleur de jasmin sur l'exploitation de Hubert Biancalana.

Grammaire

1. Comment exprimer la comparaison

Pour exprimer une comparaison qui porte sur l'adjectif ou sur l'adverbe, on emploie **aussi**, **plus**, **moins** qui sont placés devant l'adjectif ou devant l'adverbe:

> Le Chrysler Building, qui est presque **aussi** élevé que la Tour Eiffel, est **moins** élevé que la Sears Tower mais **plus** élevé que le mémorial de Washington.
>
> La Supersonic Car du Britannique Richard Noble, armée de deux réacteurs de jet, se propulse **aussi** rapidement qu'un avion à réaction.

Pour exprimer une comparaison qui porte sur le verbe on emploie **plus**, **moins**, **autant** qui sont placés après le verbe:

> Avec ses 9 700 tonnes, ce bâtiment pèse **autant** que la Tour Eiffel.

Notez que le second terme de la comparaison s'introduit par la conjonction **que**.

Pratique

Complétez les phrases suivantes en vous référant à l'illustration et aux notes sur les records de vitesse (page 118).

(a) La CN Tower de Toronto est . . . élevée . . . la Sears Tower de Chicago.
(b) Le Mémorial de Washington est . . . élevé . . . le World Trade Center de New York.
(c) Les tours jumelles du World Trade Center sont . . . élevées . . . la Sears Tower.
(d) La Tour Eiffel est . . . ancienne . . . les pyramides.
(e) Le World Trade Center est . . . moderne . . . le Chrysler Building.
(f) La Tour Eiffel est deux fois plus élevée que . . . .
(g) La voiture de Craig Breedlove, *Spirit of America*, est . . . puissante . . . la *Sunbeam* de Henry Seagrave.
(h) En 1935, au volant de sa *Bluebird*, Donald Campbell a roulé . . . rapidement . . . le Français Barras.
(i) Une voiture qui utilise un moteur à explosion roule beaucoup . . . rapidement . . . celle qui est propulsée par un réacteur d'avion.
(j) Donald Campbell a détenu le record de vitesse . . . longtemps . . . son père.
(k) A en juger par sa hauteur et sa masse, la Sears Tower de Chicago pèse . . . que l'Empire State Building.
(l) La Tour Eiffel, construite en 1870, a certainement coûté . . . que la CN Tower de Toronto.

Les records de vitesse

Gaston Chaseloup-Laubat, un Français, a établi le premier record de vitesse sur terre en 1898 au volant d'une voiture électrique Jeantaud à 61 km/h. En 1904, Paul Barras franchit au volant de sa Darracq 160 km/h. En Floride, sur le circuit de Daytona, en 1927, Henry Segrave éblouit le public en dépassant les 300 km/h dans sa *Sunbeam* (Rayon de soleil). En 1935, Malcolm Campbell, un Britannique, s'envole au-delà des 480 km/h au volant de sa *Bluebird* (Oiseau Bleu). En 1964, son fils Donald passe les 640 km/h au volant de sa *Bluebird Proteus*

CN7 ... C'est un Américain, Craig Breedlove, qui, en 1965, pulvérise ce record avec son patriotique *Spirit of America* (l'Esprit de l'Amérique), la première voiture utilisant pour se propulser, non pas un moteur à explosion, comme c'était le cas jusqu'alors, mais un réacteur d'avion. Le record de Breedlove: 966 km/h. Il sera battu par Richard Noble avec son *Thrust 2* en 1983 fixant l'actuel record du monde de vitesse à 1 019 km/h.

Les pyramides — Le Mémorial de Washington: 169m — Le Chrysler Building, New York: 319m — La Tour Eiffel: 320,75m — L'Empire State Building: 381m — Le World Trade Center, New York: 412m — La Sears Tower, Chicago: 443m — La CN Tower, Toronto: 555m

En 1979, Stan Barret, un pilote américain, frôle le mur du son avec un bolide à trois roues, la *Budweiser rocket*. Mais son record n'a pas été homologué par la Fédération internationale de l'automobile.

De ou que?

Ne confondez pas **de** et **que**. *Than* se traduit par **que**.

> La Tour Eiffel est plus élevée **que** le Mémorial de Washington.

Mais s'il est suivi d'un numéral (chiffre, pourcentage, etc.) il se traduit par **de**.

> La Tour Eiffel pèse plus **de** (moins **de**) 97 000 tonnes.
> C'est un édifice de plus **de** (moins **de**) 2 km de hauteur.

2. L'imparfait

En général, *l'imparfait* indique un fait qui était inachevé au moment du passé auquel se reporte le sujet parlant; il montre ce fait en train de se dérouler, mais sans en faire voir la phase initiale ni la phase finale.

Exemples:
Pendant que j'**habitais** dans le Var, mon cousin a acheté une vieille maison dans la région.
Comme il **faisait** beau, j'ai décidé d'aller à la plage.

L'imparfait peut marquer soit un état, soit la durée d'un événement dans le passé ou la répétition indéterminée d'un fait dans le passé.

Exemples:
Quand elle **était** jeune, elle **habitait** à Paris.
Madame Fossecave **prenait** tous les jours l'autobus pour aller au centre de Nice.

Pratique

Voici un extrait d'un reportage. Il s'agit d'un OVNI (objet volant non-identifié).

Plusieurs témoins racontent avoir vu une apparition dans le ciel la nuit du 13 mars. L'un des témoins, Monsieur Andréani, un retraité de Nice, raconte:

« Nous [1]_____ avec quelques amis ce soir-là quand nous [2]_____ apparaître, à quelques mètres seulement au-dessus du sol, une forme bleutée d'environ 20 mètres de diamètre. Cela [3]_____ à une étoile et [4]_____ très vite. Mais tout à coup, elle [5]_____ au-dessus de nos têtes. J'avoue que cela m' [6]_____ nerveux. J' [7]_____ peur et je n' [8]_____ pas _____ m'approcher comme l' [9]_____ mes amis. Mais de là où j' [10]_____, j' [11]_____ apercevoir des formes qui [12]_____ à l'intérieur du vaisseau. L'OVNI n' [13]_____ que quelques secondes : quand mes amis [14]_____ trop près de lui, il [15]_____ brusquement _____. »

1. Remplissez les blancs avec les verbes qui manquent (vous devez choisir entre le passé composé et l'imparfait). Vous trouverez une liste des infinitifs ci-dessous.

> voir se déplacer rester ressembler rendre pouvoir avoir disparaître vouloir se promener faire être s'immobiliser flotter aller

2. Mettez-vous à la place de Monsieur Andréani. Racontez en cinquante mots ce qui est arrivé ensuite.

Contrôles

La région

1   Donnez les renseignements suivants.

Capitale régionale: ....

Les villes principales des départements
  suivants:

Alpes-Maritimes: ....

Alpes-de-Haute-Provence: ....

Var: ....

2 Nommez les trois types de migration de la région provençale.

3 A quelle ville ou région correspond chacune des descriptions suivantes?

(a) Le premier port de France.

(b) Un grand centre de tourisme et de festivités dont le célèbre carnaval.

(c) Elle est située entre les bras du delta du Rhône.

(d) Où les Papes résidèrent au XIVᵉ siècle.

(e) Ville qui est renommée pour ses fleurs et parfums.

Vacances et travail

1 Faites une liste des attractions proposées aux vacanciers dans les stations balnéaires telles que Nice et Antibes.

2 A votre avis, que faut-il faire ou ne pas faire pour que la clientèle traditionnelle, telle que les familles, continue à fréquenter la Côte d'Azur?

3 A votre avis, quels sont les avantages et les inconvénients du travail saisonnier tel que celui des cueilleuses sur l'exploitation de Monsieur Biancalana?

1 Remplacez les infinitifs entre parenthèses par les formes de l'imparfait qui conviennent.

Autrefois, je (*travailler*) avec mes amies à cueillir la fleur de jasmin. Nous (*commencer*) à 6 heures du matin. A 10 heures nous (*se reposer*). Pendant que nous (*manger*) et (*boire*), nous (*chanter*) et (*bavarder*). Le travail (*reprendre*) vers 10 heures et demie. Quand le soleil (*taper*) fort on (*mettre*) son chapeau de paille. On (*s'arrêter*) de travailler vers 2 heures. Je (*se sentir*) toujours très fatiguée. Pour une bonne journée il (*être*) possible de gagner 300 francs.

2 Vous interviewez un serveur dans un restaurant de Nice. Posez des questions pour obtenir les renseignements suivants:

- depuis combien de temps il travaille à Nice;
- ses heures de travail;
- s'il a un travail saisonnier;
- ses clients préférés;
- les avantages et les inconvénients de son travail.

etc.

1 Voici une liste d'emplois mentionnés dans les pages précédentes. Quel travail correspond à chacun d'entre eux?

Exemple: Cuisinier – il fait la cuisine.

femme de ménage   garde de nuit
serveur/serveuse   cueilleuse de fleurs
institutrice   barman   plagiste   femme de
chambre   garde d'enfant

2 Ecrivez une définition pour les mots ou expressions qui suivent.

Exemple: Transat – c'est une sorte de chaise pliante qu'on loue sur les plages.

baignade   station balnéaire   plaisancier
voilier   bateau à moteur   bronzer
divertissement

3 Etablissez une liste de 10 plantes, arbres ou fleurs, qui sont typiques de la Provence.

magazine

L'EAU

Source de vie, incolore et inodore, l'eau est tellement présente dans notre alimentation qu'elle passe souvent inaperçue. Notre organisme, composé lui-même d'une majorité d'eau, ne peut pourtant s'en passer plus de quelques heures. L'eau est donc un précieux liquide qu'il faut savoir protéger. De même, il existe une grande diversité d'eaux : eau de source, eau minérale naturelle, eau gazeuse ou plate, eau du robinet. Toutes ces eaux ont des goûts et des caractéristiques particulières.

Que d'eau dans notre organisme !

Chez l'adulte, l'eau représente en moyenne 60% du poids du corps. Ce qui signifie qu'un homme de 70 kg contient environ 40 litres d'eau ! Mais la teneur en eau varie selon les stades de la vie. Chez le nourrisson, elle atteint ainsi 75% du poids corporel alors qu'elle n'est plus que de 50% chez la personne âgée.

L'eau dans notre corps :	
Eau de boisson	1.5l
Eau des aliments	0.8l
Eau fabriquée par l'organisme	0.2l
TOTAL	2.5l

Pourquoi il faut boire 1,5 l d'eau par jour

Nous éliminons environ 2,5 l d'eau chaque jour en respirant, transpirant et en allant aux toilettes. Les aliments que nous mangeons contiennent de l'eau, et notre corps en fabrique un peu mais pour garantir la teneur en eau nécessaire à notre santé, nous devons consommer au moins 1,5 l d'eau par jour en temps normal. En cas de maladie ou d'effort physique, il faut boire encore plus.

Teneurs en eau (en %) de différents aliments

Aliments très riches en eau (80 à 90% d'eau) : Légumes, fruits et laits.

Aliments pauvres en eau (moins de 50%) : Fruits et légumes secs, pain, sucreries.

Aliments moyennement riches en eau (50% à 80%) : Viandes, poissons, œufs, pommes de terre, fromages.

Aliments ne contenant pas d'eau : Huile, sucre.

BOIRE, C'EST UN ART

Pour boire 1,5 l d'eau par jour, il faut savoir profiter des moindres occasions :
- le matin au petit déjeuner et le soir avant le coucher : un grand verre.
- entre les repas : autant que l'on peut.
- pendant les repas : 2 à 3 verres.

Les grandes vertus des eaux minérales

Avec plus de 100 litres par personne et par an, les Français occupent la deuxième place mondiale de consommateurs d'eau en bouteille. Soit, au total, près de 6 milliards de litres par an pour la France.

Histoire d'eau et de santé

Outre sa fonction vitale, qui explique que la fontaine occupait la place centrale du village, les hommes connaissent depuis des millénaires les fonctions thérapeutiques de l'eau. Déjà les Egyptiens utilisaient l'effet bienfaisant de certaines sources. Hippocrate, le fondateur de la médecine (Vème siècle avant Jésus-Christ), prescrivait des bains chauds.

C'est aux Romains que l'on doit l'invention des cures thermales (combinant douche, bains de vapeur, bains de boue et consommation d'eau captée à la source). Au cours des siècles, les Français ont continué à aller prendre les eaux. Aujourd'hui, plus de 630 000 personnes par an font une cure thermale dans l'une des 104 stations officielles qui existent en France. Suivant les minéraux qu'elles contiennent (calcium, magnésium, fluor), les sources sont utilisées pour traiter différentes maladies. Le calcium et le fluor jouent un rôle fondamental dans la croissance et la solidité de l'os. Le magnésium, parmi ses nombreuses fonctions, contribue à une bonne relaxation neuro-musculaire et donc au bien-être général.

Petit mémento du buveur d'eau

● **Stocker de l'eau embouteillée chez soi**

Fermée, la bouteille d'eau se conserve parfaitement à température ambiante.

Une fois ouverte, il faut la conserver à l'abri de la lumière, dans un endroit propre, frais et sec, et la consommer dans les **48** heures.

Il est plus sain de boire dans un verre qu'au goulot, car la salive contient des germes qui contaminent la bouteille.

● **De l'eau pour maigrir ?**

Oui, si on remplace un carré de chocolat par un grand verre d'eau. Non, si on ne change rien à son alimentation, car l'eau seule ne fait pas maigrir ! En revanche, elle aide à éliminer les toxines.

● **Du sport, de l'eau**

Les sportifs doivent absolument penser à compenser l'importante perte d'eau occasionnée lors d'exercices physiques, sous forme de transpiration. Pour limiter la déshydratation et la fatigue, on conseille à tout sportif de boire en petites quantités et régulièrement pendant une compétition. Si l'effort est prolongé, il est conseillé d'ajouter à l'eau du sel et des sucres, ces derniers apportant un supplément d'énergie pour les muscles.

QU'AVEZ-VOUS RETENU SUR L'EAU ET SES VERTUS?   Vrai ou Faux?

1. Le corps d'un adulte de 70 kg contient environ 40 l d'eau.
2. Il est recommandé de boire au moins 1,5 l d'eau par jour.
3. Le pain est un aliment très riche en eau.
4. Les fruits frais ne contiennent que 10% d'eau.
5. Tous les aliments contiennent de l'eau.
6. Pendant les repas, il est conseillé de boire 2 à 3 verres d'eau.
7. Les Français boivent beaucoup d'eau en bouteille et viennent au 2e rang mondial.
8. Ce sont les Chinois qui ont inventé les cures thermales.
9. Si on veut avoir de bons os, il est important de consommer du calcium.
10. Pendant un effort sportif intense et prolongé, non seulement il faut boire beaucoup d'eau mais il faut aussi prendre du sel et du sucre.

Réponses: 1. vrai. 2. vrai. 3. faux. 4. faux. 5. faux. 6. vrai. 7. vrai. 8. faux. 9. vrai. 10. vrai.

Les Français en vacances!

A quoi les Français accordent-ils de l'importance quand ils partent en vacances ? Pour le savoir, 1 000 personnes constituant un échantillon national représentatif de la population française âgée de 15 ans et plus ont été interrogées. On leur a posé quatre questions concernant leurs activités, leur lieu de vacances.

1 Quelles activités avez-vous pendant vos vacances?

Quand on demande aux Français ce qu'ils font surtout pendant leurs vacances, 19% affirment que, pour eux, les vacances sont l'occasion de ne rien faire mais par contre 48% désirent circuler, voir de beaux espaces, visiter des abbayes et des sites touristiques. Et si 13% souhaitent se cultiver de façon plus sérieuse en lisant et en visitant des musées, 14% profitent de leurs loisirs pour pratiquer des activités sportives.

2 Que vous paraît-il essentiel d'avoir quand vous choisissez votre lieu de vacances?

Au moment de choisir l'endroit où ils passeront leurs vacances, 33% des Français indiquent qu'ils souhaitent d'abord avoir un téléphone, peut-être pour garder contact avec la famille et les amis. Ce qui peut sembler plus surprenant, c'est que seulement 6% d'entre eux se préoccupent de savoir s'il y aura une télévision et 7% une radio. La lecture et le sport leur paraissent préférables car 12% d'entre eux s'assurent qu'ils trouveront un marchand de journaux ou une librairie à proximité alors que 17%, surtout parmi les jeunes de 15 à 24 ans, préfèrent avoir une piscine ou un court de tennis à portée de la main.

3 Pourriez-vous indiquer quelles sont vos vacances idéales?

Lorsqu'on donne aux Français l'occasion de rêver en choisissant leurs vacances idéales d'après une liste de possibilités, le résultat est légèrement différent : ce qui attire 35% d'entre eux, ce sont les voyages à l'étranger alors que les visites de monuments, châteaux et abbayes sont citées par 19%. Pour ce qui est des vacances structurées où l'on pratique une activité artistique ou sportive, on voit que 7% des personnes interrogées choisissent de faire un stage de golf, de tennis ou de planche à voile tandis que seulement 3% optent pour un stage de sculpture, de dessin, de photo ou de cinéma. Il peut paraître surprenant que 17% privilégient le canal du Midi en bateau.

4 Quel est l'objet qu'il vous paraît important d'emporter en vacances?

Pour savoir quel objet les Français considèrent comme indispensable à leurs vacances, on a demandé aux sondés de choisir une seule chose parmi une liste de huit. Les jeux, qu'ils soient traditionnels ou informatisés, n'ont pas la cote avec seulement 3% et 1% respectivement. Ceci contraste avec un vote massif de 45% en faveur de l'appareil photo. La culture se place en assez bonne position avec 17% pour le guide touristique (et gastronomique !) et 11% pour le livre. Probablement pour des raisons pratiques, on privilégie la radio (10%) et le baladeur (5%) par rapport à la télé miniature (4%).

En conclusion, les Français quand ils partent en vacances, veulent voir du nouveau que ce soit à l'étranger ou en France. Rejetant en grande majorité la télé, ils s'intéressent au patrimoine culturel et visitent les vieilles pierres et les sites célèbres qu'ils adorent photographier.

Testez-vous

Connaissez-vous maintenant les goûts et habitudes des vacanciers français? Pour le savoir, essayez de compléter les tableaux qui suivent et qui se rapportent aux quatre questions posées à 1 000 personnes d'un échantillon représentatif de la population française (notez qu'il existe un certain pourcentage de personnes qui n'ont pas donné de réponses). Indiquez dans la colonne de droite le pourcentage de gens qui ont choisi a), b), c), d), etc.

Exemple: 1.c): 13% ont choisi de lire et visiter des musées.

1. Pour vous, les vacances est-ce plutôt l'occasion. . .

a) de pratiquer des activités sportives.	
b) de ne rien faire.	
c) de lire et visiter des musées.	13%
d) de circuler, voir de beaux espaces.	

2. Avant de partir en vacances, vous assurez-vous qu'à l'endroit où vous allez il y a. . .

a) une télévision.	
b) un marchand de journaux ou une librairie à proximité.	
c) une radio.	
d) une piscine ou un court de tennis à proximité.	
e) le téléphone.	

3. Choisissez vos vacances idéales dans la liste suivante:

a) Faire le tour des monuments, églises, abbayes et châteaux.	
b) Faire un stage de photo, de cinéma, de sculpture, de dessin.	
c) Découvrir des pays étrangers.	
d) Faire un stage de planche à voile, de tennis ou de golf.	
e) Descendre le canal du Midi en péniche.	

4. Si vous ne deviez emporter en vacances qu'une seule des choses suivantes, laquelle choisiriez-vous?

a) un appareil photo.	
b) un livre.	
c) un Trivial Pursuit ou Scrabble de voyage.	
d) votre console de jeux ou votre ordinateur portable.	
e) un guide touristique ou gastronomique.	
f) une télévision miniature.	
g) un transistor	
h) un baladeur	

Réponses:
1. *a)* 14 %, b) 19 %, c) 13 %, d) 48 %.
2. *a)* 6 %, b) 12 %, c) 7 %, d) 17 %, e) 33 %.
3. *a)* 19 %, b) 3 %, c) 35 %, d) 7 %, e) 17 %.
4. *a)* 45 %, b) 11 %, c) 3 %, d) 1 %, e) 17 %, f) 4 %, g) 10 %, h) 5 %.

Un "hyper", c'est quoi? Et un "super"?

Le supermarché est un libre-service à prédominance alimentaire d'une surface de vente comprise entre 400 et 2 500 m². Les Français y font 13% de leurs achats.

L'hypermarché a une surface de vente supérieure à 2 500 m². Quelque 20% des ventes de détail ont lieu dans les « hyper ».

Les « hyper » et « super » réalisent 40% du chiffre d'affaires du commerce de détail, soit 56,4% du marché de l'alimentation, 56% du petit électroménager (sèche-cheveux, grille-pain, cafetière électrique, bouilloire électrique etc.), 51% du jouet, 43% du carburant, 28% des ventes de vidéo, hi-fi... et 27% du gros électroménager (congélateur, réfrigérateur, lave-vaisselle, machine à laver etc.)

Jeu: mots en désordre

Les phrases suivantes se réfèrent à l'article ci-dessus mais les lettres des mots entre parenthèses sont dans le désordre. Essayez de retrouver ces mots et écrivez-les correctement:

1. Les Français font 13% de leurs (hcatas) dans un supermarché.

2. Le supermarché est un (irlbe-vecires) qui a une (rafusec) de 400 à 2 500 m².

3. L'hypermarché a une surface de vente (piéruseure) à 2 500 m².

4. Les "hyper" et les "super" représentent 56,4% de l'(tonemialatin) et 27% du gros électroménager.

Réponses : 1. achats. 2. libre-service, surface. 3. supérieure. 4. alimentation.

Tout sur tout

Le croissant est-il une invention française ?

Le célèbre croissant, symbole à travers le monde du petit déjeuner « à la française », est une pure invention autrichienne ! En 1683, un boulanger de Vienne, pour fêter avec insolence la victoire contre l'armée turque qui assiégeait la ville, fabriqua un petit pain à pâte feuilletée en forme de croissant de lune (emblème des pays musulmans).

Le succès fut total. On raconte que c'est Marie-Antoinette, archiduchesse d'Autriche et future femme de Louis XVI, qui, près d'un siècle plus tard, l'introduisit en France. Mais il faudra attendre le règne de Louis-Philippe pour que le croissant se démocratise et devienne la pâtisserie préférée des Français.

La baguette

Porté par les idéaux de la Révolution, le bon peuple de France réclame du pain pour tous. Pour répondre à ce souci légitime, la Convention fait voter en 1793 un décret qui impose aux boulangers de ne plus vendre qu'une même espèce de pain, blanc, frais, pas cher et qui puisse contenter les riches comme les pauvres.

Mais les traditions continuent. Alors Napoléon III exige une bonne fois pour toute la vente d'un pain réglementaire : il doit faire 40 cm de longueur et peser environ 300 g. La baguette (de l'italien bachetta, petit bâton) est née.

Il faudra toutefois attendre la Libération de 1945 pour que ce pain « de Parisiens » se démocratise vraiment. Depuis, il a doublé : une baguette mesure aujourd'hui 80 cm.

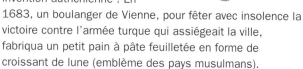

Vrai ou Faux?

1. Le croissant a été inventé en 1863.
2. Le croissant est une invention autrichienne.
3. Le croissant est en forme de lune.
4. Le croissant a été introduit en France par Napoléon premier.
5. Sous Napoléon III, la baguette devait peser un kilo et avoir 50 cm de long.
6. De nos jours la baguette fait 80 cm de longueur.

Réponses : 1. faux. 2. vrai. 3. vrai. 4. faux. 5. faux. 6. vrai.

Pourquoi la République s'appelle-t-elle Marianne ?

Elle est le visage de la République. Combative et fière, drapée dans une toge et coiffée d'un bonnet phrygien rouge (celui des esclaves affranchis dans la Rome antique, donc emblème de la liberté), Marianne est une invention de la Révolution. Depuis 1877, son buste est dans toutes les mairies de France.

Mais pourquoi ce nom ? Personne ne sait exactement. Au XVIIIe siècle, Marie-Anne était un prénom très utilisé, surtout parmi les couches populaires. Idéal, donc, pour représenter « le peuple ». On raconte aussi qu'à l'époque où le Directoire cherchait un nom à mettre sur ce visage, un certain vicomte de Barras demanda, par hasard, à une galante dame comment elle s'appelait. « Marie-Anne, » répondit-elle. « Parfait ! aurait répondu le vicomte. Il est simple, bref et convient à la République autant qu'à vous-même ».

Jeu: le mot caché

A l'aide des définitions ci-dessous, complétez la grille et vous trouverez dans la colonne verticale en mauve le mot caché qui fait partie de la devise de la République française. (Notez que tous les mots figurent dans l'article ci-dessus.)

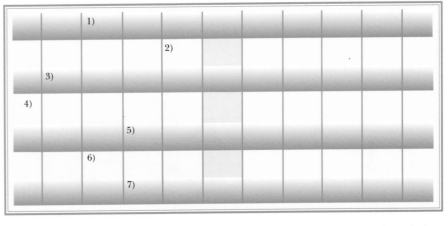

1. Personne qui n'est pas libre, qui travaille pour un maître et peut être vendue ou achetée.
2. Partie de la tête, face humaine.
3. Forme de gouvernement dans lequel le peuple est souverain et qui a, à sa tête, un président élu.
4. Période qui dure cent ans.
5. Symbole de la République française.
6. Sculpture de la tête, des épaules et de la poitrine de quelqu'un.
7. Nom qui précède le nom de famille et qui distingue les différentes personnes d'une même famille.

Réponse : liberté

Qui suis-je?

Je suis une jolie princesse, trop jolie même, puisque ma belle-mère est jalouse de ma beauté. Un bourreau, chargé de me tuer, s'attendrit et se contente de m'abandonner dans la forêt. De charmants petits bonhommes me recueillent et tout ce petit monde vit heureux en compagnie des animaux de la forêt. Jusqu'au jour où la méchante belle-mère reparaît pour se venger. Sous les traits d'une vieille sorcière, elle m'offre une pomme empoisonnée. Je la mange et je m'endors. Heureusement, le Prince Charmant viendra me délivrer du sommeil. Qui suis-je ?

Réponse : Blanche-Neige

PROFESSION BRUITEUR

Le bruitage est l'art de reproduire les sons artificiellement.

C'est en 1798 que le physicien Robertson a inventé la première machine à bruiter : elle imitait le bruit de la pluie en faisant tourner des pois secs dans un cylindre de carton.

Les bruiteurs français sont réputés être les meilleurs du monde. Ils sifflent, soufflent, grincent, s'énervent, reniflent pour imiter le canard, le vent, l'orage, les bruits de pas, le zapping sur la bande FM... Bref, la vie !

Essayez de deviner comment on imite les bruits suivants :

1 Comment reproduit-on le son d'un incendie ?
A En frottant deux feuilles de journaux l'une contre l'autre.
B En froissant des bandes magnétiques.
C En mettant le feu à la maison.

3 Comment reproduit-on le son d'une voiture roulant dans une cour ?

A En secouant un sac de petits cailloux.
B En faisant tourner une boîte de sel cylindrique.
C En passant un rouleau à gazon sur des graviers.

2 Avec quel(s) objet(s) obtient-on le bruit d'une charrette ?

A Une brosse à dents frottée contre des pièces de monnaie.
B Un marteau frappé dans une caisse en bois.
C Un vieux moulin à café.

4 Avec quel(s) objet(s) obtient-on le bruit du pas d'un cheval ?

A Des timbales en plastique frappées sur un lino.
B Un marteau frappé contre des gobelets renversés.
C Des fers à cheval frappés sur du ciment.

5 Comment reproduit-on un bruit de vent ?

A A l'aide d'un sèche-cheveux dirigé vers le micro.
B En produisant un ronflement à proximité d'un micro.
C Grâce au ronronnement d'un chat.

Réponses : 1B, 2C, 3C, 4A, 5A.

Et vos 15 ans, c'est comment?

A 15 ans, on découvre enfin le monde ! Vous semblez tous d'accord : c'est triste de ne plus croire au père Noël. Mais qu'il est bon d'avoir la vie devant soi pour tout découvrir... même une réalité pas toujours gaie.

Courrier

Fini le conte de fées

J'aimerais ne jamais avoir grandi. Que le monde entier soit à redécouvrir. La Terre, la vie, tout paraît si merveilleux vu du pays innocemment rose de l'enfance... Mais en grandissant, on découvre avec horreur la vérité, et le monde perd son charme. On ne m'avait pas raconté que Cendrillon sombrait dans l'alcool et divorçait. On m'avait caché que Blanche-Neige perdait ses cheveux et mourait du sida! On ne m'avait pas prévenu que la Belle au bois dormant se retrouvait au chômage en se réveillant et devenait SDF (sans domicile fixe)! Comme la réalité est noire et cruelle. L'enfance est bien trompeuse. Pourtant, je deviens responsable, je grandis encore! Mais j'ai peur aussi.

Anne-Sophie.

Je ne suis pas pressé d'entrer dans le monde du travail

Je viens d'avoir 15 ans et le sentiment diffus d'un bouillonnement intérieur s'impose de plus en plus. Sans savoir pourquoi, le monde peut paraître un jour attractif et prometteur alors qu'il semblera sinistre et sans attrait le lendemain. Je ressens surtout le besoin vital de profiter pleinement des quelques années qui me restent avant d'entrer dans un monde du travail qui devient de plus en plus celui du chômage. Car la peur d'un avenir, imprécis jusqu'ici, mais qu'il faudra un jour se résoudre à affronter, est bien réelle. Heureusement, certains moments précieux de complicité avec mes amis permettent de rendre le quotidien plus facile et d'envisager le futur avec optimisme.

Augustin

Je déborde de joie de vivre

Du haut de mes 15 ans, je découvre le monde: il est beau. Parfois dégueulasse mais tellement beau quand même!
J'ai l'impression de déborder de joie de vivre, j'ai envie de tout faire, de tout découvrir, de tout apprendre. Mais je ne peux pas, alors j'en fais un peu, c'est toujours ça.
Je voudrais que tous les ados, quels qu'ils soient, aiment la vie autant que je l'aime: prennent un plaisir toujours plus grand à vivre et à envahir le monde de leur bonheur!

Fanny

Vous écrivez au magazine soit pour donner votre opinion sur les commentaires ci-dessus soit tout simplement pour exprimer comment se passent (ou se sont passés, si vous êtes plus âgé(e)) vos 15 ou 16 ans.

ANGLICISMES

■ Brushing

Ce mot qui fait très anglais est né en France. L'école parisienne de coiffure a choisi un mot à consonance anglo-saxonne pour désigner cette technique de mise en plis ; le mot ''brushing'' en anglais signifie simplement le fait de brosser et il vient d'un mot français emprunté au XVe siècle!

■ Tennisman

C'est une invention typiquement française car en anglais on dit *tennis player*.

■ Auto-stop

Difficile de vous faire comprendre d'un Anglais si vous parlez d'auto-stop. C'est un mot fabriqué en France. En Angleterre et aux Etats-Unis on dit *hitchhiking*.

LA CAMPAGNE SEDUIT LES FRANÇAIS

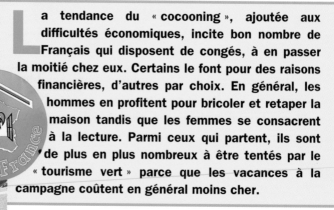

La tendance du « cocooning », ajoutée aux difficultés économiques, incite bon nombre de Français qui disposent de congés, à en passer la moitié chez eux. Certains le font pour des raisons financières, d'autres par choix. En général, les hommes en profitent pour bricoler et retaper la maison tandis que les femmes se consacrent à la lecture. Parmi ceux qui partent, ils sont de plus en plus nombreux à être tentés par le « tourisme vert » parce que les vacances à la campagne coûtent en général moins cher.

Cependant, il existe des disparités géographiques. Le besoin de s'aérer incite 79% de Franciliens (habitants de l'Ile de France) à partir, contre 57% seulement de Provençaux. Et les régions touristiques – Languedoc-Roussillon, Provence-Alpes-Côte d'Azur, Corse et Bretagne – comptent le moins de candidats au dépaysement. En effet, dans ces régions, on n'éprouve pas le besoin de partir ailleurs.

Le succès du tourisme vert

Si la mer continue d'attirer le plus d'estivants, la campagne séduit de nos jours un quart des Français. Le succès du tourisme vert s'explique sans doute par les prix plus bas mais plus encore par le développement et l'organisation de ce secteur.

Gîtes ruraux, chambres d'hôte sont mieux signalés et recensés par les offices de tourisme, les activités proposées se diversifient : équitation, kayak ou parapente mais aussi stages d'artisanat. Cet élargissement permet en même temps à certains agriculteurs de gagner un revenu complémentaire.

En ce qui concerne les grandes destinations étrangères à la mode au début des années 90, comme la Thaïlande et les pays de l'Est, elles cèdent la place à la Jordanie, la Syrie, l'Afrique du Sud ou le Québec. Bien sûr, l'Espagne continue d'attirer le plus important flux de touristes français.

Au fond, peu importe le lieu de villégiature. La période estivale offre toujours l'occasion de se détendre, de retrouver les amis, la famille. Même si l'on reste chez soi.

Activité Au, aux ou en?

Les Français partent en vacances **en** Thaïlande. Certains vont aussi. . .

1. — Jordanie.
2. — Québec.
3. — Syrie.
4. — Italie.
5. — Espagne.
6. — Japon.
7. — Portugal.
8. — Angleterre.
9. — Etats-Unis.
10. — Irlande.

Réponses: 1. en. 2. au. 3. en. 4. en. 5. en. 6. au. 7. au. 8. en. 9. aux. 10. en.

Le saviez-vous?

Les habitants du Languedoc s'appellent des Languedociens. Comment s'appellent les habitants. . .

1. . . . de la Provence: les _____.
2. . . . de l'Ile-de-France: les _____.
3. . . . de la Bretagne: les _____.
4. . . . du Québec: les _____.
5. . . . de l'Alsace: les _____.

Réponses: 1. Provençaux. 2. Franciliens. 3. Bretons. 4. Québécois. 5. Alsaciens.

Interlude littéraire

Marcel Pagnol

Marcel Pagnol (1895-1974)

Fils d'un instituteur, Marcel Pagnol est né à Aubagne, en Provence et se destinait lui-même à la carrière d'enseignant. Après avoir travaillé à Aix-en-Provence puis à Marseille, Pagnol est pendant quelque temps professeur d'anglais à Paris. Mais il commence à écrire des pièces de théâtre et en 1928, après le succès de *Topaze*, il renonce à l'enseignement. La trilogie *Marius*, *Fanny* et *César* lui apporte la consécration populaire. Ses œuvres sont adaptées au cinéma, et lui-même réalise des films d'après des romans de Giono.

Elu à l'Académie française en 1946, il publiera plus tard *Jean de Florette* et *Manon des sources*, et surtout ses souvenirs d'enfance dans *La Gloire de mon père* et *Le Château de ma mère*.

Le Château de ma mère

Les parents de Marcel, la douce et tendre Augustine et Joseph le très sérieux instituteur, ont loué une maison de campagne dans les collines au-dessus d'Aubagne pour y passer les grandes vacances avec leurs enfants : Marcel, Paul et leur petite sœur. Ils y sont souvent rejoints par l'Oncle Jules et les siens. Après l'exploit accompli à la chasse par Joseph (dont le récit donne son titre à *La Gloire de mon père*), les hommes de la famille, Joseph, Jules et Marcel partent chasser tous les matins à l'aube. Un jour, Marcel rencontre un petit paysan, Lili des Bellons, qui l'initie à la vie dans les collines et qui deviendra son meilleur ami.

Nous déjeunâmes sur l'herbe. La conversation de Lili nous intéressa vivement, car il connaissait chaque vallon, chaque ravin, chaque sentier, chaque pierre de ces collines. De plus il savait les heures et les mœurs du gibier : mais sur ce chapitre, il me parut un peu réticent : il ne fit que répondre aux questions de l'oncle Jules, parfois d'une manière assez évasive et avec un petit sourire malin.

Mon père dit :

– Ce qui manque le plus dans ce pays, ce sont les sources... à part le Puits du Mûrier, est-ce qu'il y en a d'autres ?

– Bien sûr ! dit Lili. Mais il n'ajouta rien.

– Il y a la Baume de Passe-Temps, dit l'oncle. Elle est sur la carte d'état-major.

– Il y a aussi celle des Escaouprès, dit Lili. C'est là que mon père fait boire ses chèvres.

– C'est celle que nous avons vue l'autre jour, dit l'oncle.

– Il y en a certainement d'autres, dit mon père. Il est impossible que, dans un massif aussi vaste, les eaux de la pluie ne ressortent pas quelque part.

– Il ne pleut peut-être pas assez, dit l'oncle Jules.

– Détrompez-vous, s'écria mon père. Il tombe à Paris 0 m 45 de pluie par an. Ici, il en tombe 0 m 60 !

Je regardai Lili avec fierté, et je fis un petit clin d'œil qui soulignait l'omniscience paternelle. Mais il ne parut pas comprendre la valeur de ce qui venait d'être dit.

▶▶

– Etant donné que le sol des plateaux est fait de tables rocheuses imperméables, poursuivit mon père, il me semble tout à fait certain qu'un ruissellement important doit se rassembler dans les vallons, en poches souterraines, et il est fort probable que certaines de ces poches affleurent et suintent dans les endroits les plus creux. Tu connais sûrement d'autres sources ?

– J'en connais sept, dit Lili.

– Et où sont-elles ?

Le petit paysan parut un peu embarrassé, mais il répondit clairement.

– C'est défendu de le dire.

Mon père fut aussi étonné que moi.

– Pourquoi donc ?

Lili rougit, avala sa salive, et déclara :

– Parce qu'une source, ça ne se dit pas !

– Qu'est-ce que c'est que cette doctrine ? s'écria l'oncle.

Evidemment, dit mon père, dans ce pays de la soif, une source, c'est un trésor.

– Et puis, dit Lili, candide, s'ils savaient les sources, ils pourraient y boire !

– Qui donc?

Le Château de ma mère

– Ceux d'Allauch ou bien de Peypin. Et alors ils viendraient chasser ici tous les jours !

Il s'anima brusquement :

– Et puis, il y aurait tous ces imbéciles qui font les excursions... Depuis qu'on leur a « dit » la source du Petit-Homme, de temps en temps ils viennent au moins vingt... D'abord ça dérange les perdreaux – et puis ils ont volé les raisins de la vigne de Chabert – et puis, des fois, quand ils ont bien bu, ils pissent dans la source. Une fois ils avaient mis un écriteau : « Nous avons pissé dans la source ! »

– Pourquoi ? dit mon oncle.

Lili répondit, sur un ton tout à fait naturel :

– Parce que Chabert leur avait tiré un coup de fusil.

– Un vrai coup de fusil ? dis-je.

– Oui, mais de loin, avec du petit plomb... Il n'a qu'un cerisier, et les autres lui volaient ses cerises ! dit Lili avec indignation. Mon père a dit qu'il aurait dû tirer à chevrotines !

– Voilà des mœurs un peu sauvages ! s'écria mon oncle.

– C'est eux les sauvages ! dit Lili avec force. Il y a deux ans, pour faire cuire la côtelette, ils ont mis le feu à la pinède du jas de Moulet ! Heureusement, c'était une petite pinède, et il n'y avait rien à côté ! Mais s'ils faisaient ça dans Passe-Temps, imaginez-vous un peu !

– Evidemment, dit mon père, les gens de la ville sont dangereux, parce qu'ils ne savent pas...

– Quand on ne sait pas, dit Lili, on n'a qu'à rester à la maison.

Il mangeait de grand cœur l'omelette aux tomates.

– Mais nous, nous ne sommes pas des excursionnistes. Nous ne salissons pas les sources, et tu pourrais nous dire où elles sont.

– Je voudrais bien, dit Lili. Mais c'est défendu. Même dans les familles, ça ne se dit pas...

– Dans les familles, dit mon père, ça, c'est encore plus fort.

– Il exagère peut-être un peu, dit l'oncle.

–Oh non ! c'est la vérité ! Il y en a une que mon grand-père connaissait : il n'a jamais voulu la dire à personne...

– Alors, comment le sais-tu ?

– C'est parce que nous avons un petit champ, au fond de Passe-Temps. Des fois on allait labourer, pour le blé noir. Alors, à midi, au moment de manger, le papet disait : « Ne regardez pas où je vais ! ». Et il partait avec une bouteille vide.

Je demandai :

–Et vous ne regardiez pas ?

– O Bonne Mère ! Il aurait tué tout le monde ! Alors, nous autres on mangeait assis par terre, sans tourner l'œil de son côté. Et au bout d'un moment, il revenait avec une bouteille d'eau glacée.

Mon père demanda :

– Et jamais, jamais vous n'avez rien su ?

– A ce qu'il paraît que quand il est mort, il a essayé de dire le secret... Il a appelé mon père, et il lui a fait : « François, la source... la source... » Et toc, il est mort... Il avait attendu trop longtemps. Et nous avons eu beau la chercher, nous l'avons jamais trouvée. Ça fait que c'est une source perdue...

– Voilà un gaspillage stupide, dit l'oncle.

– Eh oui, dit Lili, mélancolique. Mais quand même, peut-être elle fait boire les oiseaux ?

"

Courrier des lecteurs

Ayant lu cet extrait du *Château de ma mère*, vous écrivez une lettre au magazine pour expliquer que, aujourd'hui encore, les ''excursionnistes'' posent des problèmes en ce qui concerne l'environnement de la Provence ou d'autres régions françaises.

AVEZ-VOUS UNE BONNE MÉMOIRE?

LISEZ-VOUS ATTENTIVEMENT? TESTEZ-VOUS!

1. Un bruiteur est...

  a) un acteur de cinéma.

  b) un appareil qui fait beaucoup de bruit.

  c) une personne qui reproduit des sons artificiellement.

2. Comment s'appelle la femme qui symbolise la République française?

  a) Marie-Antoinette.

  b) Marianne.

  c) Marie-Claire.

3. Un hypermarché est...

  a) un marché en plein air.

  b) un supermarché géant.

  c) un petit supermarché.

4. Le croissant est une invention...

  a) autrichienne.

  b) française.

  c) américaine.

5. De nos jours, la baguette de pain mesure...

  a) 30 cm.

  b) 120 cm.

  c) 80 cm.

6. Qui a inventé les cures thermales?

  a) Les Chinois.

  b) Les Romains.

  c) Les habitants de l'île Maurice.

7. Le brushing, c'est...

  a) une école de peinture.

  b) une recette de cuisine.

  c) une technique de coiffure.

8. L'objet que les Français considèrent le plus indispensable en vacances est...

  a) la crème anti-moustique.

  b) l'appareil photo.

  c) un réveille-matin.

9. Le pays qui attire le plus important flux de touristes français est...

  a) La Grande-Bretagne.

  b) L'Espagne.

  c) La Grèce.

10. Dans *Le Château de ma mère*, Lili est...

  a) l'oncle de Marcel.

  b) le père de Marcel.

  c) un petit paysan provençal.

Réponses: 1. c), 2. b), 3. b), 4. a), 5. c), 6. b), 7. c), 8. b), 9. b), 10. c).

Bilan grammatical

Contents

Articles

The definite article

le, la, l', les = *the*

masc. sing. le: le garçon
fem. sing.   la: la fille
before vowels and mute *h* masc. or fem. sing.:

   l': l'orange, l'homme
before plural nouns, masc. or fem.

   les: les messieurs, les dames

1 The definite article is used before the following:

i *abstract nouns:*

   Les auteurs utilisaient comme modèle **la société**
      féodale de leur temps.

ii *languages, subjects:*

   Elle apprend **le russe**.
   Mon ami étudie **l'histoire**.

iii *sports, pastimes:*

   J'adore **le tennis**.
   Je pratique **l'équitation**.
   J'aime **la lecture**.

iv *arts, sciences, illnesses:*

> **La musique** calme les nerfs.
> On va remettre **la science** en culture.
> **Les maladies cardio-vasculaires** deviennent de plus en plus fréquentes.

v *a noun which specifies a species or a type:*

> **Les passions** tyrannisent **l'homme**.

vi *countries, continents, provinces, mountains, rivers:*

> J'ai visité **l'Ecosse** et **le Pays de Galles**.
> **La Grande-Bretagne** fait partie de **l'Europe**.
> **La Normandie** est une belle province.
> L'année prochaine je vais passer les vacances dans **les Pyrénées**.

vii *food, drink, meals:*

> Comment prépare-t-on **la soupe** à la bière?
> **Le champagne** coûte trop cher.

viii *colours:*

> **Le bleu** est ma couleur préférée.
> Dans *Le Rouge et le Noir*, **le rouge** symbolise l'Armée et **le noir** l'Eglise.

ix *parts of the body:*

> Ils lèvent **la main**.
> Elle ferme **les yeux**.

ix *days of the week:*

> Le centre est ouvert **le samedi**.

2 The definite article is omitted:

i *after* parler + *a language:*

> Mireille parle espagnol et anglais.

ii *in a list of nouns:*

> ... mathématiques, sciences naturelles, peinture, musique, architecture.

iii *when a noun is in apposition (i.e. repeated in another form immediately after a comma):*

> J'habite à Toulouse, **capitale régionale** de Midi-Pyrénées.

The indefinite article

un, une = *a, an*   des = *some*

masc. sing.	**un:**	**un garçon**
fem. sing.	**une:**	**une fille**
plural:	**des:**	**des hommes**

The indefinite article is left out in the following cases:

i *in a list of nouns:*

> **Salaison, fumage et pressage** se succèdent au fil des saisons.

ii *when a noun is in apposition:*

> A Toulouse, **ville du sud-ouest de la France**, il y a une vie culturelle comparable à celle de Paris.

iii *in front of* cent, mille:

> Il m'a donné **mille** francs.
> BUT NOTE: **un million** d'habitants

iv *after* sans, sans . . . ni:

> Je suis **sans emploi**.
> Transmis **sans enregistrement ni film intermédiaire**.
> BUT NOTE the expression: *Je suis sans un sou/le sou =* I am penniless.

v *in front of names of jobs, professions:*

> Mon père était **agriculteur**.
> Monsieur Léhélec est **pêcheur**.

vi *when a noun comes immediately after* quel/quelle, quels/quelles *in an exclamation:*

> Quelle actrice!
> Quel homme!
> Quels vins!

The partitive article

du, de l', de la, des = *some*

Masc. sing.	**du:**	**du beurre**
Fem. sing.	**de la:**	**de la farine**
Before vowels or mute *h*, masc. and fem. sing.		
	de l':	**de l'eau**

The partitive is shortened to *de/d'* in the following cases:

i *after a negative (other than* ne ... que *):*

> Il ne manque pas **de** châteaux.
> Il n'y a pas **d'**élèves.

ii *in some expressions of quantity:*

> Trois millions **d'**étoiles.
> Une livre **de** tomates.
> Deux carrés **de** fleurs.
> Une grande fenêtre qui apporte beaucoup **de** clarté.

iii *in front of an adjective which precedes the noun:*

> Les rivières offrent **de** multiples possibilités.

Nouns

Masculine and feminine forms

1 Some nouns have the same forms for masculine and feminine:

un/une enfant, un/une élève

2 Some nouns have different endings for masculine and feminine forms, e.g. *acteur/actrice*. Note the following masculine and feminine forms:

masc.	fem.	
jumeau	jumelle	eau → -elle
Italien	Italienne	-en → -enne
chanteur	chanteuse	-eur → -euse
directeur	directrice	-eur → -rice
cadet	cadette	-et → -ette
veuf	veuve	-f → -ve
fermier	fermière	-ier → -ière
Breton	Bretonne	-on → -onne
époux	épouse	-oux → -ouse

3 Nouns do not always change their gender to suit the person referred to. Some are always masculine:

un bébé, un proviseur

Some nouns are always feminine:

une personne, une victime

4 The gender of nouns is often indicated by the ending.

Masculine endings:		Feminine endings:	
-ail	le portail	-ance	la distance
-al	le bal	-ette	la bicyclette
-oir	le loir	-ille	la famille
-et	le poulet	-ise	la valise
-isme	le nationalisme	-oire	une histoire
		-tion	la nation
		-une	la fortune

These endings are generally masculine: **-er, -ent, -eau**
These endings are generally feminine: **-ence, -ière, -tié, -té**

The plural of nouns

1 The plural of most nouns is obtained by adding an *s* to the singular:

le garçon → les garçons, la fille → les filles, l'oncle → les oncles

2 If the singular noun ends in *s*, *x* or *z* nothing is added:

le ta**s**	les ta**s**
une croi**x**	des croi**x**
un ne**z**	des ne**z**

3 Other plurals:

Most nouns which end in *-al* change to *-aux* in the plural:

le journ**al** → les journ**aux**

Nouns which end in *-au*, *-eau*, *-eu* add an *x* in the plural:

un tuy**au** → des tuy**aux**, un mant**eau** → des mant**eaux**, un chev**eu** → des chev**eux**

4 Note these plurals:

le bal	les bals
le bijou	les bijoux
le caillou	les cailloux
le chou	les choux
le ciel	les cieux
le genou	les genoux
un hibou	des hiboux
madame	mesdames
mademoiselle	mesdemoiselles
monsieur	messieurs
un œil	des yeux
le pneu	les pneus
le travail	les travaux

NOTE that proper names do not add an 's' in the plural:
les Pompidou

Adjectives

Adjectives are describing words: a **red** book = *un livre rouge*

Masculine and feminine forms

1 The general rule for forming the feminine is to add *e* to the masculine form:

un grand homme/une grand**e** femme.

If the adjective already ends in an *e*, there is no change, e.g. *drôle → drôle.*

Here are some other feminine forms:

Masc. ending	Fem. ending	Masc.	Fem.
-as	-asse	gras	grasse
-é	-ée	marié	mariée
-el	-elle	visuel	visuelle
-en	-enne	ancien	ancienne
-er	-ère	léger	légère
-et	-ette	coquet	coquette
-eux	-euse	sérieux	sérieuse
-if	-ive	vif	vive
-il	-ille	gentil	gentille
-on	-onne	bon	bonne

2 Note the forms of these adjectives:

aigu	aiguë
blanc	blanche
bref	brève
doux	douce
dû	due
faux	fausse
favori	favorite
fou	folle
jaloux	jalouse
long	longue
mou	molle
public	publique
sec	sèche
secret	secrète
sot	sotte

3 These adjectives have special forms:

beau = *beautiful, handsome, fine* etc.
nouveau = *new*
vieux = *old*

masc. sing.
beau   nouveau   vieux

masc. sing. in front of a vowel or silent 'h'
bel   nouvel   vieil

fem. sing.
belle   nouvelle   vieille

masc. pl.
beaux   nouveaux   vieux

fem. pl.
belles   nouvelles   vieilles

4 Nouns used as adjectives never show agreement. These are often referred to as invariable:

Il a les yeux **marron**.
J'aime ces chaussettes **orange**.

Compound adjectives are also invariable:

Une jupe **vert clair**
Des costumes **bleu marine**

Position of adjectives

1 The great majority come after the noun they describe:

Des pommes **vertes**
C'est une fille **sérieuse** et **naturelle**.

Here are some adjectives which normally come before the noun they describe:

beau	jeune	petit
bon	joli	premier
gentil	long	vaste
grand	mauvais	vieux
gros	méchant	vilain
haut	nouveau	

C'était une **grosse** boule bleue.
Un **bel** arbre
Une **mauvaise** élève
De **vieux** arbres
C'est une **longue** histoire.

2 The meaning of some adjectives varies depending on whether they come before or after the noun. Here are some examples:

un **ancien** élève (= *former*)
un meuble **ancien** (= *old, antique*)

une **certaine** somme (= *any*)
une chose **certaine** (= *sure*)

mon **cher** ami (*dear*, i.e. showing affection)
C'est un repas **cher**. (*dear*, i.e. expensive)

C'est mon **dernier** gâteau. (*last*, i.e. none left)
la semaine **dernière** (*last*, i.e. former)

C'est la **même** chose. (= *same*, identical)
C'est le livre **même**. (= *very same*, actual)

Le **pauvre** homme! (*poor*, pitiable)
C'est un homme **pauvre**. (*poor*, impoverished)

Je l'ai vu de mes **propres** yeux. (= *own*, showing
  possession)
Il a les mains **propres**. (= *clean*)

une **simple** histoire (= *mere, of no importance*)
une histoire **simple** (= *simple, uncomplicated*)

un **vrai** repas (= *real*)
une histoire **vraie** (= *true, genuine*)

une **nouvelle** voiture (*new*, fresh)
une mode **nouvelle** (*new*, latest)

The plural of adjectives

In most cases, *s* is added to the singular form:

de grand**s** hommes, de grand**es** femmes

As in the case of nouns, adjectives ending in *s* or *x* do
  not change in the plural. If the adjective ends in *-al*,
  the plural is normally *-aux*:

national → nationaux

BUT NOTE: fatal → fatals, natal → natals

Possessive adjectives

These are used in front of nouns as follows:

Masc. sing.	Fem. sing.	Masc. & fem. pl.	
mon	ma	mes	= *my*
ton	ta	tes	= *your* (when using *tu*)
son	sa	ses	= *his, her, its*
notre	notre	nos	= *our*
votre	votre	vos	= *your* (when using *vous*)
leur	leur	leurs	= *their*

Examples:

le livre de Victoria = **son** livre (*her book*)
le livre de Paul = **son** livre (*his book*)
le livre de Victoria et de Paul = **leur** livre (*their book*)
le livre de Victoria et la cassette de Paul = **son** livre
  et **sa** cassette (*her book and his cassette*)

NOTE that *mon, ton, son* are used before any singular
  noun, masculine or feminine, if it begins with a
  vowel or a mute *h*:

mon ambition, ton énergie, son amie

Demonstrative adjectives

ce, cet, cette = *this, that*
ces = *these, those*

These are used in front of nouns as follows:

masc. sing. nouns beginning with a consonant: **ce**

ce monsieur, ce hareng

*masc. sing. nouns beginning with a vowel or
  mute 'h':* **cet**

cet élève
Cet homme est son père.

fem. sing. nouns: **cette**

cette dame

masc. and fem. pl. nouns: **ces**

ces arbres, ces montagnes

Comparatives

1 plus ... que... = *more ... than ...*
    moins ... que... = *less ... than ...*
    aussi ... que... = *as ... as ...*

Paul est **plus** grand **que** Marie.
Marie est **moins** grande **que** Paul mais **aussi** grande
  que Nicole.

2 The comparative of the adjective *bon(ne)* is
meilleur(e):

Marie est une **meilleure** étudiante que Paul. (... *a better
  student than ...*)

3 Use *plus/moins de* before a number or a word
expressing quantity:

L'agglomération de Marseille a **plus d**'un million
  d'habitants dont **moins de** la moitié habitent la ville
  même.
J'ai **plus de** 300 livres.

Superlatives

le/la/les plus   = *the most*
le/la/les moins = *the least*

Le plus grand tunnel ferroviaire est le tunnel sous la
  Manche.
La région la moins peuplée est la Corse.
Ce sont les élèves les plus doués de la classe.

Le/la meilleur(e) + noun = *the best*

NOTE the use of *de* after a superlative:

Antoine et Paul sont les meilleurs amis **du** monde.
  (... *the best friends in the world.*)

Adverbs

Adverbs are used to qualify a verb, for example to tell how something is done:

Les élèves écoutent **bien** leurs professeurs.

1 Adverbs are generally formed by adding -*ment* to the feminine of the adjective. If the adjective ends in a vowel, -*ment* is added to the masculine form:

soigneux:	**soigneuse**ment
vrai:	**vrai**ment

2 NOTE the formation from adjectives ending in -*ant* and -*ent*:

constant:	const**amment**
prudent:	prud**emment**

3 The following adverbs are not formed in the ways described above:

énormément	= *enormously*
bien	= *well*
brièvement	= *briefly*
gentiment	= *kindly*
mal	= *badly*
mieux	= *better*
précisément	= *precisely*
profondément	= *deeply*

J'aime **bien** la bonne musique classique.
Notre équipe a **mieux** joué que les Belges. (... *played better than* ...)

NOTE that *meilleur* (*better, best*) is an adjective and should be distinguished from the adverb *mieux*:

Les Marckois ont démontré leurs progrès face aux **meilleurs** pilotes régionaux et belges.

Pronouns

Personal pronouns

1 There are two main kinds of personal pronouns:

i those which are the subject of the verb:

je	= *I*
tu	= *you*
il, elle, on	= *he, she, one*
nous	= *we*
vous	= *you*
ils, elles	= *they* (masc., fem.)

ii those which are the direct or indirect object of the verb:

me (direct and indirect)	= *me, to me*
te (direct and indirect)	= *you, to you*
le (direct)	= *him, it* (masc.)
la (direct)	= *her, it* (fem.)
lui (indirect)	= *to him, to her*
se (direct and indirect)	= *oneself, to oneself*
nous (direct and indirect)	= *us, to us*
vous (direct and indirect)	= *you, to you*
les (direct)	= *them*
leur (indirect)	= *to them*

2 Examples of the use of personal pronouns:

Je la vois.
Je lui ai écrit.
Nous leur avons répondu.
Elles nous ont donné la lettre.
Il ne m'a pas vu(e).

3 NOTE the agreement of the past participle with the preceding direct object in the following type of sentence:

Tu as reçu **les lettres** de la famille Leroy?
Oui, je **les** ai reç**ues**. (*les* ← *les lettres*, fem. pl.)

4 *Y* and *en*

Y replaces an inanimate noun introduced by *à* or another preposition:

Je m'intéresse **à la peinture**. → Je m'**y** intéresse.
Cela ne vous empêche pas d'**y** rester. (← *dans notre maison*)

En replaces a noun or expression introduced by *de, du* etc.:

Il **en** est fier. (= *de son bateau*)
Il y **en** a d'autres. (= *des parcs régionaux*)
Il **en** veut dix. (= *des pommes*)

5 When more than one object pronoun is used, the order and position before the verb is as follows:

SUBJECT	me te se nous vous	le la les	lui leur	y	en	VERB

Examples:

Je leur explique **les peintures**. → Je **les leur** explique.
Je lui ai envoyé **les messages**. → Je **les lui** ai envoyé**s**.
Elle nous a expliqué **les peintures**. → Elle **nous les** a
expliqué**es**.

6 The order with the imperative is as follows:

affirmative: Dites-**le-moi**! Dites-**le-lui**!
Donne-**les-nous**! Donnez-**les-leur**!
negative: Ne **me le** dites pas!
(as in the chart) Ne **nous les** donne pas!

Stressed pronouns

moi	= *me*
toi	= *you*
soi	= *one, oneself*
lui	= *him*
elle	= *her*
nous	= *us*
vous	= *you*
eux (masc.)	= *them*
elles (fem.)	= *them*

These are used

i for emphasis:

Moi, je préfère la planche à voile.

ii when there are two or more subjects:

Papa et maman, que vont-ils faire? – **Eux**, ils vont
acheter des provisions.
Sa femme et **lui** ont décidé de s'installer en France.

iii after a preposition:

Grâce à **vous**, nous avons visité les plus beaux coins de
la région.
Nous vous invitons à passer quelques semaines chez
nous.
Il ne nous appartient pas, à **nous** professionnels,
d'exagérer la situation.
Il était derrière **toi**? – Non, devant **moi**.
Qui est assis à côté d'**elle**? – C'est son frère.

iv before a relative pronoun:

C'est **moi** qui décide.

Possessive pronouns

m. sing.	*f. sing.*	*m. pl.*	*f. pl.*
le mien	la mienne	les miens	les miennes = *mine*
le tien	la tienne	les tiens	les tiennes = *yours*
le sien	la sienne	les siens	les siennes = *his, hers, its*
le nôtre	la nôtre	les nôtres	les nôtres = *ours*
le vôtre	la vôtre	les vôtres	les vôtres = *yours*
le leur	la leur	les leurs	les leurs = *theirs*

How possessive pronouns are used:
In the following sentence, the items in bold type could
be replaced by possessive pronouns:

Ma voiture est neuve mais **ta voiture** est vieille.
→
La mienne est neuve mais **la tienne** est vieille.

Further examples:

Mon frère est professeur mais **le sien** (le frère de mon
amie) est avocat.
Ma chambre donne sur la rue, **la leur** donne sur le
port.
Si vous n'avez pas de voiture, **la nôtre** sera à votre
disposition.

Demonstrative pronouns

masc. sing. *celui*	masc. pl. *ceux*
fem. sing. *celle*	fem. pl. *celles*

Like demonstrative adjectives, demonstrative
pronouns are used to point something out. They
stand in place of nouns.

1 Celui/celle etc. de

Notre vision habituelle du roi Arthur est **celle d'**un
personnage majestueux. (... *that of a majestic figure.*)
Mais elle coûte cher, beaucoup plus cher que **celles
des** Indes. (... *the ones from the Indies.*)

2 Celui/celle etc. qui (*the one/ones which, who ...*)

Quel type de romans aimez-vous? – **Ceux qui** me font
rire.
Quelle actrice as-tu préférée? – **Celle qui** a joué le rôle
d'Antigone.
Alors **ceux qui** restent peuvent espérer gagner
correctement leur vie.

3 Celui-ci/celui-là; celle-ci/celle-là; ceux-ci/ceux-là; celles-ci/celles-là (*this one/that one; these/those*)

These replace the nouns in sentences such as:

J'aime cette peinture mais je n'aime pas cette peinture.

or

J'aime cette peinture-là mais je n'aime pas cette peinture-ci.

→

J'aime **celle-là** mais je n'aime pas **celle-ci**.

A further example:

Alors, vous voulez acheter des pommes. Vous allez prendre celles-ci ou celles-là?

Relative pronouns

Relative pronouns are used to join two parts of a sentence which might otherwise have appeared as two separate sentences, for example:

J'ai vu la voiture hier.
J'ai acheté cette voiture.
→ J'ai acheté la voiture **que** j'ai vue hier.

1 *Qui* and *que/qu'* (in front of a vowel or a mute *h*) are the most commonly used relative pronouns.

Qui is used when it is the subject of its clause.
Que is used when it is the object.

Examples:

C'est le cordier **qui** tient la corde pour guider l'animal.
Les beffrois **qui** dominent fièrement chaque ville du Nord–Pas-de-Calais sont d'anciennes tours de guet.
Vous prenez la D706 **que** vous suivrez pendant 10 kilomètres.
C'est le pêcheur **que** j'ai vu à Concarneau.

NOTE that *qui* and *que* can refer to persons or things which can be either singular or plural.

2 *dont* replaces *de* + noun

Voici le bateau de M. Leroy. Il est très fier de son bateau.
→ Voici le bateau **dont** M. Leroy est très fier.

Il y a de très bons artistes **dont** l'œuvre est très demandée.

3 *Ce qui, ce que* and *ce dont*

In these sentences, *ce qui/ce que/ce dont* = what.

Les gens pensent que je ne suis pas sérieux, **ce qui** est complètement faux.

Mais **ce qui** est typique de toutes ces villes, ce sont les carillons.
Elle sait **ce qu'**elle veut.
C'est exactement **ce qu'**on cherche.
Ce dont vous m'avez parlé est bizarre.

NOTE that

i Ce qui *is the subject of its clause and* ce que *is the object.*

ii *In the above sentences,* ce qui *refers to the idea (e.g. 'je ne suis pas sérieux').* Qui *on its own can only refer to a specific noun.*

iii *In the last sentence,* dont *replaces* de + *noun (*parler de*).*

4 *Lequel/laquelle/lesquels/lesquelles* are used in front of a preposition and generally refer to objects. They take on the gender and number of the noun or nouns they refer to.

J'ai photographié la maison **derrière laquelle** on voit les Alpes.
Ecrivez un paragraphe **dans lequel** vous décrivez une journée que vous avez passée au parc.

A and *de* combine with *lequel, lesquels* and *lesquelles* as follows:

auquel, auxquels, auxquelles
duquel, desquels, desquelles

Example:

Voici une liste des carrières **auxquelles** le BTH donne accès.

5 *Où* is used to express time and place:

C'est là **où** l'homme, il y a 15 000 ans avant J-C, a peint toutes ces merveilleuses images d'animaux sauvages.
L'année **où** je suis arrivée dans cette région, il y a eu une grande sécheresse.

Interrogative pronouns

These are used to form questions.

1 *Qui?* and *qui est-ce qui?* = who?

Qui a vu ce film?
Qui est-ce qui est arrivé?

2 *Qu'est-ce qui?* = what? (subject of the verb)

Qu'est-ce qui vous a frappé le plus dans cette pièce?

Qu'est-ce que or *que* + inversion +? = what? (object of the verb)

Qu'est-ce que vous avez vu?
Qu'avez-vous trouvé?

3 After prepositions, *qui* refers to people and *quoi* to things:

Devant qui est-il assis?
De quoi s'agit-il?

4 *Lequel/laquelle/lesquels/lesquelles* refer to both people and things when used with the meaning of 'which one?' out of two or more:

Lequel de vous deux veut m'accompagner?
Laquelle des deux maisons vas-tu acheter?

Indefinite pronouns

1 The following are classified as indefinite pronouns: *autre chose, chacun, on, quelque chose, quelques-uns/quelques-unes, quelqu'un, tout.*

J'ai autre chose à vous dire! (*... something else ...*)
Chacun de ces mots et expressions ... (*Each one/Every one ...*)
On a atteint son but. (*We/They/You ...*)
Tu as quelque chose à ajouter? (*... something/anything to add?*)
Quelques-unes de ses réponses sont fausses. (*Some of his replies ...*)
Il y a quelqu'un? (*Is there somebody/anybody there?*)
Avez-vous tout dit? (*... everything?*)

NOTE

i On *is very commonly used in a general sense to mean 'we', 'they', 'you', 'people'. It is a subject pronoun and takes the third person singular of the verb.*

ii Quelque chose *before an adjective is followed by* de:
Raconte-moi quelque chose **d'**intéressant.
(*... something interesting.*)

NOTE *that in this case, the adjective does not agree.*

2 *Plusieurs* and *l'un(e)* are used as indefinite pronouns in the following expressions:

i Plusieurs de + *noun*
Plusieurs d'entre + *pronoun*

Plusieurs de mes amis sont en vacances. (*Several of my friends ...*)
Plusieurs d'entre eux sont handicapés. (*Several of them ...*)

ii L'un(e) de + *noun*
L'un(e) d'entre + *pronoun*

L'un de mes amis est malade. (*One of my friends ...*)
L'un d'entre nous est coupable. (*One of us ...*)

Negatives

There are two parts to a negative used with verbs. *Ne* comes in front of the verb and the second, defining part (e.g. *rien*) is placed after the verb; in the case of compound tenses it generally comes immediately after the auxiliary verb:

Je nage. → Je **ne** nage **pas**.
J'ai nagé. → Je **n'**ai **pas** nagé.

i *The defining parts of the negative expressions below all behave in the same way as* ne ... pas:

ne ... guère	= *scarcely*
ne ... jamais	= *never*
ne ... point	= *not at all*
ne ... plus	= *no more, no longer*
ne ... rien	= *nothing*

Je ne travaille pas de façon permanente.
La vitalité ne repose plus sur cet or bleu.
Il n'y a guère de solution miracle.
On n'a jamais nettoyé la rue de France.
Moi, je ne dis rien. Lui, il n'a rien dit.

ii *In the case of the following expressions, the second defining part comes after the past participle in compound tenses:*

ne ... aucun(e)	= *not any*
ne ... nulle part	= *nowhere*
ne ... personne	= *no one*

J'ai beaucoup de livres. Je **n'**en ai lu **aucun**.
Je **n'**ai vu **personne**.

iii *When using* ni ... ni ... (neither ... nor ...) *with verbs, you still need to place* ne *before the verb:*

Je **ne** mange **ni** viande **ni** poisson.
Elle **ne** veut **ni** se marier **ni** avoir d'enfant pour le moment.

iv Ne ... que ... (only) *is an expression which has the function of limiting:*

Je **n'**ai **que** trente francs.
Vous **n'**avez **qu'**à me téléphoner.

The second part (que) *comes before the noun or phrase which is referred to:*

Tu as pris tous les bonbons.
Tu as tort. Je **n'**en ai pris, je t'assure, **que** trois.

v *In sentences where the defining part of the negative comes first, ne still comes before the verb:*

Rien **n**'est arrivé.
Personne **n**'a répondu.
Aucune d'entre elles **n**'a répondu.

vi *Note the position of the negatives in questions:*

Ne répondez-vous **pas**?
N'allez-vous **jamais** le faire?
Ne lui as-tu **point** répondu?

vii *Word order in sentences with more than one negative:*

Je n'ai plus rien à vous dire.
Il n'avait jamais rien dans sa cuisine.

Verbs

Formation of simple tenses of regular verbs

1 Present tense (*le présent*)

This is formed from the infinitive without the endings.

	-er verbs travaille**r**	*-re* verbs répond**re**	*-ir* verbs fin**ir**
je	travaille	réponds	finis
tu	travailles	réponds	finis
il/elle/on	travaille	répond	finit
nous	travaillons	répondons	finissons
vous	travaillez	répondez	finissez
ils/elles	travaillent	répondent	finissent

2 Imperfect tense (*l'imparfait*)

The imperfect is formed from the *nous* form of the present without the ending.

travaill**ons**   répond**ons**   finiss**ons**

The endings are the same for all verbs:

je travaillais	je répondais	je finissais
tu		... -ais
il/elle/on		... -ait
nous		... -ions
vous		... -iez
ils/elles		... -aient

3 Future tense (*le futur*)

This is formed by adding the endings to the infinitive (in the case of *-re* verbs, drop the *-e*). The endings are the same for all verbs:

je travaillerai	je répondrai	je finirai
tu		... -as
il/elle/on		... -a
nous		... -ons
vous		... -ez
ils/elles		... -ont

4 Conditional (*le conditionnel*)

This is formed by adding the endings to the infinitive (in the case of *-re* verbs, drop the *-e*). The endings, which are identical to those of the imperfect, are the same for all verbs:

je travaillerais	je répondrais	je finirais
tu		... -ais
il/elle/on		... -ait
nous		... -ions
vous		... -iez
ils/elles		... -aient

5 Past historic (*le passé simple*)

This tense is formed from the infinitive without the endings.

	travailler	répondre	finir
je	travaillai	répondis	finis
tu	travaillas	répondis	finis
il/elle/on	travailla	répondit	finit
nous	travaillâmes	répondîmes	finîmes
vous	travaillâtes	répondîtes	finîtes
ils/elles	travaillèrent	répondirent	finirent

6 Reflexive verbs (*les verbes pronominaux*)

Present
je **me** couche
tu **te** couches
il/elle/on **se** couche
nous **nous** couchons
vous **vous** couchez
ils/elles **se** couchent

Imperfect
je me couchais etc.

Future
je me coucherai etc.

Conditional
je me coucherais etc.

Past historic
je me couchai etc.

Formation of compound tenses

These tenses have two parts: an auxiliary verb, *avoir* or *être*, and a past participle. Past participles of regular verbs are formed as follows:

infinitive:	travailler	répondre	finir
past participle:	travaillé	répondu	fini

Here is a list of some of the more common irregular past participles (for others, see verbs tables):

asseoir	assis	offrir	offert
avoir	eu	ouvrir	ouvert
boire	bu	plaire	plu
conduire	conduit	pleuvoir	plu
connaître	connu	pouvoir	pu
croire	cru	prendre	pris
devoir	dû	recevoir	reçu
dire	dit	rire	ri
écrire	écrit	savoir	su
faire	fait	tenir	tenu
lire	lu	venir	venu
mettre	mis	vivre	vécu
mourir	mort	voir	vu
naître	né	vouloir	voulu

1 Perfect tense (*le passé composé*)

This uses the present tense of the auxiliary verb:

j'ai travaillé	je suis arrivé(e)
tu as travaillé	tu es arrivé(e)
il a travaillé	il est arrivé
elle a travaillé	elle est arrivée
on a travaillé	on est arrivé
nous avons travaillé	nous sommes arrivé(e)s
vous avez travaillé	vous êtes arrivé(e)(s)
ils ont travaillé	ils sont arrivés
elles ont travaillé	elles sont arrivées

2 Pluperfect (*le plus-que-parfait*)

This uses the imperfect tense of the auxiliary verb:

j'avais travaillé etc.   j'étais arrivé(e) etc.

3 Future perfect (*le futur antérieur*)

This uses the future tense of the auxiliary verb:

j'aurai travaillé etc.   je serai arrivé(e) etc.

4 Conditional perfect (*le conditionnel passé*)

The conditional perfect uses the conditional of the auxiliary verb:

j'aurais travaillé etc.   je serais arrivé(e) etc.

5 Reflexive verbs

The compound tenses of reflexive verbs are formed with the auxiliary verb *être*:

je me suis couché(e)

The present subjunctive

This is formed from the *ils/elles* form of the present tense without the ending: travaill**ent**, répond**ent**, finiss**ent**.

The endings are the same for all verbs:

	travailler	*répondre*	*finir*
je	travaille	réponde	finisse
tu	travailles	répondes	finisses
il/elle/on	travaille	réponde	finisse
nous	travaillions	répondions	finissions
vous	travailliez	répondiez	finissiez
ils/elles	travaillent	répondent	finissent

The imperative

The imperative is formed as follows:

(tu)	*travaille!	réponds!	finis!
(nous)	travaillons!	répondons!	finissons!
(vous)	travaillez!	répondez!	finissez!

*Verbs ending in -*er* drop the *s* from the present tense ending.

The present participle

This forms its stem by dropping the -*ons* ending of the *nous* form of the present tense and adding -*ant*:

-*er* verbs:	travaillant
-*re* verbs:	répondant
-*ir* verbs:	finissant

Meaning and use of tenses, the subjunctive and participles

1 Present

Compare the use of the present tense in the following sentences:

Est-ce que les affaires **marchent** toujours bien? = *what is current.*

J'**habite** chez mes parents.
Je **travaille** le week-end au marché aux puces.
J'**accueille** les visiteurs, je leur **explique** les peintures et, de temps en temps, je **donne** des conférences. = *what happens on a habitual basis.*

Vous **venez** de faire un stage.
Les cueilleuses **viennent** d'achever le premier carré. = *what has just happened.* (*venir de … *)

J'**ai** un petit ami depuis un an. = *what has been going on and is still going on.* (present tense + *depuis*)

Nous **allons** arriver au lycée à six heures. = *what is going to happen.* (present tense of *aller* + infinitive)

2 Imperfect

NOTE the use of the imperfect in the following sentences:

Comme il **faisait** beau, j'ai décidé d'aller à la plage.
On a vu une sorte d'étoile qui **descendait** assez rapidement. = *what was going on.*

Quand elle **était** jeune, elle habitait à Paris.
A Douarnenez **vivaient**, en 1914, 1 800 habitants au km². = *what used to be.*

Depuis deux semaines ils **s'activaient** pour réussir le long week-end pascal. = *what had been going on and is still going on.*

3 Future

Si on s'arrête à Hesdin, à quelle heure **arrivera**-t-on au Touquet?
Je vous **enverrai** des renseignements. = *what will happen.*

4 Future perfect

A cinq heures il **aura fini**. = *what will have happened.*

5 Conditional

On **pourrait**, si cela vous faisait plaisir, faire des promenades en bateau. = *what would happen if something else happened.*

NOTE that *faire* is in the imperfect (*faisait*).

Compare with the following sentence:

J'**achèterais** (*conditional*) une belle voiture, si je gagnais (*imperfect*) une grande somme d'argent.

NOTE also these polite requests:
Pourriez-vous me proposer des villes typiques? (*Could you … ?*)
Aimeriez-vous faire de la pêche en mer? (*Would you like to … ?*)

6 Conditional perfect

Je l'**aurais dissuadée**. = *what would have happened.*
On **aurait pu** croire que l'été régnait sur la Baie des Anges.
On **aurait dit** que quelque chose flottait à l'intérieur. = *what seemed to be happening.*

7 Past historic

This is used to convey the simple past in several forms of writing, such as novels, historical accounts and journalism. It is not used in speech.

La base aérienne **fut** sérieusement éprouvée par les bombardements.
Les bateaux de pêche ou de plaisance français et anglais **se sacrifièrent**.
Le 4 juin l'ennemi **pénétra** dans les ruines de la ville.

8 Perfect

In the following short extract from an account in the past, the perfect tense is used to convey a sequence of finished actions:

L'après-midi **nous sommes retournés** au Palais. A 4 heures **nous nous sommes mis** en route pour l'Ile de Groix. **Nous avons amarré** à Port-Tudy, ancien port thonier. **Nous avons passé** une excellente soirée à manger sur le pont un repas délicieux préparé par Monsieur Leroy. **Nous avons arrosé** le tout au champagne.

NOTE that the following verbs form the perfect tense and other compound tenses with *être*:

i All reflexive verbs:

Nous nous sommes promenés autour de la ville.

ii Verbs in the list below and their prefixes (e.g. sortir/ressortir, venir/devenir*):*

aller	descendre
venir	rester
arriver	retourner
partir	naître
entrer	mourir
sortir	tomber
monter	

NOTE that some of these verbs can form the perfect tense with *avoir* when used transitively (i.e. with a direct object). Compare:

Elle est sortie de la maison.
Elle a sorti son passeport.

9 Pluperfect

Il a dit qu'il **avait** déjà **payé** la facture.
Avant de s'installer à Nice, Madame Fossecave **avait habité** à Paris. = *what had happened.*

10 Subjunctive

Generally, the subjunctive is used after certain expressions or structures. Here are some examples:

Il est inadmissible qu'elle **soit** envahie par les patins à roulettes.
A mon avis, il y a beaucoup à faire pour que notre ville **soit** une des premières de France.
Il est dommage que nous n'**ayons** pas eu de jumelles.

11 Present participle

This is usually the equivalent of the English *-ing*:

Etant moi-même méridionale, je suis plutôt ouverte. = *expresses cause.*

En **attendant** le prince charmant, je vis toujours chez mes parents.
Nous avons pris le petit déjeuner sur le pont en **admirant** le lever du soleil. = *expresses what is happening.*

Les navettes 'Le Shuttle' relient la France à l'Angleterre en **passant** par le tunnel sous la Manche. = *expresses manner.*

12 Past participle

Arrivés au port, nous avons tout porté sur le bateau. (= *Quand nous sommes arrivés ...*)

C'est une maison **construite** en pierres. (= *... qui est construite en pierres.*)

Les cueilleuses sont déjà là, **penchées** sur les plantes. = *used adjectivally*

The passive

(= *what is/was/has been/will be/had been etc. done to something or someone.*)
In a passive sentence, the object of an active verb becomes its subject:

Michel a expédié les dépliants. → Les dépliants ont été expédiés par Michel.

The passive is formed as follows:

i The appropriate tense of être *+ past participle (which must agree with the subject):*

Les champs moutonneux **ont été tondus**.
Quelle approche **sera adoptée**?
Des animations leur **seront proposées**.
Elle **a été habitée** pendant des milliers d'années par les hommes.

ii With 'on':

On + third person singular of the verb is commonly used to indicate the passive form:

On a tondu les champs moutonneux.
On leur proposera des animations.

NOTE that the subject of a passive sentence cannot be formed from an indirect object (i.e. one used after constructions such as *dire à, demander à, permettre à*). Instead, *on* + active verb is used:

On a dit à Carmel de téléphoner à l'Office du Tourisme de Douai. (*Carmel was told to telephone ...*)
On a donné des instructions à Paul. (*Paul has been given his instructions.*)
On leur a permis d'entrer. (*They were allowed ...*)

Verbs: constructions

1 Reflexive verbs

i Normal verbs used with a reflexive sense:

Il **se** voit journaliste. (*He sees himself ...*)

ii Verbs always constructed reflexively:

Madame Fossecave **s'**est plainte du mauvais état des rues de Nice. (*Madame Fossecave complained ...*)

iii For a mutual action:

Autrefois nous **nous** écrivions souvent, mais maintenant nous ne **nous** écrivons jamais. (*... write to one another*)

2 Constructions with *faire*:

Faire faire/fabriquer/construire quelque chose:

Il a fait construire une maison dans le sud-ouest de la France.
Les bourgmestres ont fait ériger les tours de guet.

Faire faire à quelqu'un (*to make someone do something*):

Partout on vous fera déguster les spécialités régionales.

3 Constructions with *avoir*:

avoir chaud/froid	*to be hot/cold*
avoir faim/soif	*to be hungry/thirsty*
avoir raison/tort	*to be right/wrong*
avoir honte/peur	*to be ashamed/frightened*
avoir sommeil	*to be sleepy*

Madame Fossecave avait raison de se plaindre.

avoir l'air	*to look*
avoir besoin de	*to need*
avoir envie de	*to want to*
avoir lieu	*to take place*
avoir du mal à	*to have difficulty in*
avoir mal à	*to have an ache/pain*

Il a l'air très sympathique.
J'ai besoin d'être rassuré.
C'est le genre de garçon à qui on a envie de parler.
L'Enduro de Bray-Dunes a eu lieu le week-end dernier.
Nous avons du mal à entendre.
Elle avait mal au bras.

4 Two verbs together

i *Some verbs are followed by* à *before an infinitive. Examples:*

Il a commencé **à** manger.
Nous avons réussi **à** gagner.

aider	hésiter
apprendre	inviter
commencer	se mettre
consentir	obliger
se décider	renoncer
encourager	réussir

ii *Some verbs are followed by* de *before an infinitive.*

accepter	offrir
s'arrêter	oublier
attendre	prier
cesser	promettre
décider	proposer
conseiller	refuser
empêcher	regretter
essayer	se souvenir
finir	

Il a accepté **de** le faire.
As-tu décidé **d'**y aller?

iii *Some verbs come immediately before the infinitive:*

adorer	laisser
aimer	oser
aller	préférer
désirer	pouvoir
devoir	savoir
espérer	vouloir

J'espère te voir dans trois jours.
Je n'oserais pas vous demander.

5 Impersonal verbs

These are used only in the third person singular. The subject pronoun *il* is considered as neuter.

i *falloir: il faut, il faudra*

Il faut voir l'intérieur.
Il faudra peut-être réparer les marches.

ii *avoir, manquer, rester: il y a, il manque, il reste*

Il y a de la place pour mettre un lave-vaisselle.
Il ne leur manque rien.
Il lui reste beaucoup à faire.

Times, dates, countries

Telling the time

i Il est/était dix heures = *It is/was ten o'clock*

ii Demi, demie = *half:*

Arrivée à Folkestone à huit heures et demi**e**.*
Je finirai dans une demi-heure/à minuit et demi.**

(NOTE: *agreement in gender only; **no agreement of *demi.*)

iii Quart = *a quarter:*

Nous arriverons entre neuf heures **et quart** et dix heures **moins le quart**.

iv Midi = 12 o'clock *(midday);* minuit = 12 o'clock *(midnight):*

Quelle heure est-il? – Oh! Je ne sais pas. Midi vingt-cinq, une heure moins vingt-cinq.

v *Approximate time:* vers *(about):*

Rentrée à la ferme vers 16.30 (seize heures trente)
(... *around 4.30 in the afternoon.*)

vi *Time of day:* ... heures du matin/soir/de l'après-midi:

Nous partirons du collège à six heures du matin.

Days, seasons, years

i Time of day on a given date:

Le soir du deux juin

ii A day of the week (e.g. 'on Sunday'):

On arrivera dimanche.

iii Repetition (e.g. 'on Wednesdays, every Wednesday'):

On se voit le mercredi.
Tous les mercredis

iv Dernier, prochain (last, next):

Nous partirons mardi prochain.

v A month (e.g. 'in October, August'):

En octobre
Au mois d'août

vi A date (e.g. 'on 1st March, on 16th October'):

Le premier mars; le seize octobre
Le onze février

(NOTE that *le onze* has no shortening of *le* to *l'*.)

vii A season ('in summer/autumn/winter/spring'):

En été/en automne/en hiver/au printemps

viii A year (e.g. 'in 1914'):

En dix-neuf cent/mille (mil) neuf cent quatorze

(NOTE that the former is more usual, especially in speech.)

ix A century (e.g. 'in the 19th century'):

Au dix-neuvième siècle

Expressing time

i Without a preposition:

Leurs vacances ont duré deux mois. (... *lasted two months.*)

ii Pendant used for duration:

Il a habité en France pendant quatre ans. (*He lived ... for four years.*)

iii Pour for time planned, time to come:

Nous irons en Bretagne pour un mois. (*We will be going ... for a month.*)

iv Depuis + present/perfect tense is used as follows:

La maison **est** vide depuis quelques mois. (... **has been** empty for several months.)
Quand je l'ai connu il **habitait** à Paris depuis quatre ans. (... **had been living** in Paris for four years.)

v Dans + a period of time:

Nous rentrerons dans 20 minutes. (... *in 20 minutes' time.*)

vi En for length of time taken:

Nous avons fait le trajet Douai–Le Touquet en moins de deux heures.

vii Il y a = ago:

Je l'ai vu il y a deux semaines. (... *two weeks ago.*)

Countries

1 *In* or *to* a country:

En for countries with feminine names: en France, en Espagne.
Au for masculine: au Japon, au Portugal.
En for masculine and feminine starting with a vowel: en Irak, en Italie.
Aux for plural: aux Pays-Bas.

2 *In* or *to* an island is usually *à*:

à Chypre, à Malte.

3 *From* a country:
De/d' for countries with feminine names: Nous arrivons de Grèce.
Du for masculine: Je viens du Danemark.
Des for plural: Elle est revenue des Etats-Unis.

Numbers

1-201

1	un(e)	16	seize
2	deux	17	dix-sept
3	trois	18	dix-huit
4	quatre	19	dix-neuf
5	cinq	20	vingt
6	six	30	trente
7	sept	40	quarante
8	huit	50	cinquante
9	neuf	60	soixante
10	dix	70	soixante-dix
11	onze	80	quatre-vingts
12	douze	90	quatre-vingt-dix
13	treize	100	cent
14	quatorze	200	deux cents
15	quinze	201	deux cent un

Formation

i *hyphen except before and after* et, cent, mille, million:

23	vingt-trois
48	quarante-huit
75	soixante-quinze
399	trois cent quatre-vingt-dix-neuf
1551	mille cinq cent cinquante et un.

ii Et *in 21, 31, etc. and 71, but not in 81, 91, 101:*

Trente et un(e), soixante et onze, quatre-vingt-un, quatre-vingt-onze, cent un

iii -s *is dropped from* cents, quatre-vingts *when another number follows:*

trois cent**s**; sept cent cinquante
quatre-vingt**s**; quatre-vingt-quatorze

iv *Never* -s *on* mille:

trente mille

v De *after* million(s):

Deux millions **de** soldats

Ordinals (*first, second, third,* etc.)

le premier homme/la première femme
la deuxième rue à gauche/en seconde classe
le neuvième élève

Use of numbers

i *Addition, subtraction:*

Deux et deux font quatre. Douze moins six égale(nt) six.

ii *Multiplication, division:*

Trois fois trois font neuf. Vingt-sept divisé par neuf égale(nt) trois.

iii *Decimals:*

5,5 (cinq virgule cinq)

iv *Fractions:*

la moitié de, le tiers de, le quart/les trois quarts de (*a half, a third, a quarter/three-quarters of*)
le/un cinquième, les cinq sixièmes (*one fifth, five-sixths*)

v *Percentages:*

50% (cinquante pour cent)
le pourcentage

NOTE Une vingtaine, une trentaine etc. = *about twenty/thirty:*

Elle a une trentaine d'années.
Il y a des centaines de kilomètres de belles plages.

Weather

Il fait beau/mauvais (temps).
Il fait + *adjective* (chaud, lourd, frais, froid, doux, etc.)

You can also say:

Il fait un temps + *adjective other than those above,* e.g.:
Il fait un temps maussade = *It's gloomy.*

i Il fait + *noun is followed by the partitive article:*

Il fait **du** vent/**du** brouillard/**de** l'orage

ii *When* le temps *comes first, you use the appropriate tense of* être *and not* faire:

Le temps **est** beau, agréable, etc.

iii *When the weather is a description of an action, a verb is used:*

Il pleut/Il neige/Il grêle/Il gèle, etc.

Summaries, presentations and discussions

Here are a few ground rules:
1. Be clear.
2. Be concise.
3. Be simple.
4. Use figures and other data sparingly and when you do, make sure they are reinforcing what you have said.
5. Avoid prejudice.
6. Present both sides of the argument but do not avoid giving an opinion when it is backed up by the evidence which you have advanced.

Summaries

1. Read and/or listen to the material you are summarising two or three times.
2. Write the key points in note form, using the guidelines provided.
3. Go through the material once again, put it aside and write a key sentence for each main point.
4. Write out the summary, adding any details which you consider necessary (your key sentences might be wholly adequate).

Example:
In the summary task in *Unité 2*: Bretagne (task 15 on page 55), a key sentence for the first section might be:

Le Roi Arthur et ses chevaliers ont entrepris de retrouver le Saint Graal qui était la coupe qui avait recueilli le sang du Christ lors de la Cène.

If you think there is nothing of importance to add, then this is adequate for the relevant section.

Presentations

1. Prepare your presentation well. Rehearse it and record it. Try to know it well enough not to have to read a script. Use notes.
2. Make sure your visual and other aids are not simply a distraction from the points you are making.
3. Speak clearly and at a speed in which you are in control of your thoughts.

i Visual and other aids:

le graphique	= *graph*
le tableau	= *table*
le plan/la carte	= *map*
les chiffres	= *figures*
la photo	= *photo*
le dessin	= *drawing*
le transparent	= *overhead transparency*
la diapositive	= *slide*
le clip-vidéo	= *video clip*
un enregistrement	= *recording*

ii Phrases to draw an audience's attention:

Je veux attirer votre attention sur...
Je vous signale (que) ...
Je vous indique (que) ...
Je veux vous faire remarquer que ...

iii Phrases to present an argument:

Introducing the subject:

En premier lieu, examinons ...	*First of all, let us examine...*
On peut avancer plusieurs arguments ...	*Several arguments can be put forward ...*
Il convient d'examiner...	*It is appropriate to examine ...*

Developing the theme:

Avant d'aborder ...	*Before touching on/dealing with ...*
De plus ...	*What is more/Moreover ...*
Il faut ajouter à cela ...	*To that must be added ...*
En ce qui concerne ...	*Concerning ...*

Quant à ...	*As for ...*
De toute façon ...	*At any rate ...*
A cet égard ...	*In that respect ...*

Attributing:

Selon .../D'après ...	*According to ...*
D'une part .../D'autre part ...	*On the one hand .../On the other hand ...*
D'un côté .../De l'autre .../D'un autre côté	*On the one side, hand .../On the other ...*
Certains .../D'autres ...	*Some .../Others ...*

Enumerating:

En premier lieu .../En dernier lieu ...	*Firstly .../Lastly ...*
Premièrement .../Deuxièmement ...	*Firstly .../Secondly ...*

Expressing an opinion:

A mon avis ...	*In my opinion ...*
Selon moi ...	*In my opinion ...*
Personnellement ...	*Personally ...*
Pour ma part ...	*As for me ...*

Concluding:

Le problème se résume à ceci ...	*The problem/The question comes down to this ...*
En somme ...	*Finally...*

Verb tables

Regular verbs

● -er verbs: donner

Present participle	Imperative			Present	Imperfect	Future / Conditional	Present subjunctive	Past historic
donnant	donne*		je	donne	donnais	donnerai / donnerais	donne	donnai
	donnons		tu	donnes	donnais	donneras / donnerais	donnes	donnas
	donnez		il / elle	donne	donnait	donnera / donnerait	donne	donna
Past participle			nous	donnons	donnions	donnerons / donnerions	donnions	donnâmes
			vous	donnez	donniez	donnerez / donneriez	donniez	donnâtes
donné			ils / elles	donnent	donnaient	donneront / donneraient	donnent	donnèrent

* Note that the 2nd person singular of -er verbs adds s when followed by the pronouns y, en: restes-y, manges-en.

● -ir verbs: finir

Present participle	Imperative			Present	Imperfect	Future / Conditional	Present subjunctive	Past historic
finissant	finis		je	finis	finissais	finirai / finirais	finisse	finis
	finissons		tu	finis	finissais	finiras / finirais	finisses	finis
	finissez		ils / elle	finit	finissait	finira / finirait	finisse	finit
Past participle			nous	finissons	finissions	finirons / finirions	finissions	finîmes
			vous	finissez	finissiez	finirez / finiriez	finissiez	finîtes
fini			il / elles	finissent	finissent	finiront / finiraient	finissent	finirent

● -re verbs: vendre

Present participle	Imperative			Present	Imperfect	Future / Conditional	Present subjunctive	Past historic
vendant	vends		je	vends	vendais	vendrai / vendrais	vende	vendis
	vendons		tu	vends	vendais	vendras / vendrais	vendes	vendis
	vendez		il / elle	vend	vendait	vendra / vendrait	vende	vendit
Past participle			nous	vendons	vendions	vendrons / vendrions	vendions	vendîmes
			vous	vendez	vendiez	vendrez / vendriez	vendiez	vendîtes
vendu			ils / elles	vendent	vendaient	vendront / vendraient	vendent	vendirent

Regular reflexive verbs have the same forms as above but with the addition of the pronouns me, te, se, nous, vous, se: je me lave, tu te laves, il / elle se lave, nous nous lavons, vous vous lavez, ils / elles se lavent.

Almost regular verbs

Note the following groups of verbs which have certain peculiarities in the way they are formed:

● Verbs ending in *-éder, -érer, éter: céder*

Present participle	Imperative			Present	Imperfect	Future / Conditional	Present subjunctive	Past historic
cédant	cède		je	cède	cédais	céderai / céderais	cède	cédai
	cédons		tu	cèdes			cèdes	
	cédez		il / elle	cède			cède	
Past			nous	cédons			cédions	
participle			vous	cédez			cédiez	
cédé			ils / elles	cèdent			cèdent	

● Verbs ending in *-eler, -eter: appeler*

Some verbs with the endings *-eler, -eter* double the consonant (e.g. *appeler, jeter* + compounds).

Present participle	Imperative			Present	Imperfect	Future / Conditional	Present subjunctive	Past historic
appelant	appelle		j'	appelle	appelais	appellerai / appellerais	appelle	appelai
	appelons		tu	appelles			appelles	
	appelez		il / elle	appelle			appelle	
Past			nous	appelons			appelions	
participle			vous	appelez			appeliez	
appelé			ils / elles	appellent			appellent	

● Verbs ending in *-oyer, -uyer: employer*

Present participle	Imperative			Present	Imperfect	Future / Conditional	Present subjunctive	Past historic
employant	emploie		j'	emploie	employais	emploierai / emploierais	emploie	employai
	employons		tu	emploies			emploies	
	employez		il / elle	emploie			emploie	
Past			nous	employons			employions	
participle			vous	employez			employiez	
employé			ils / elles	emploient			emploient	

For verbs ending in *-ayer* the change is optional (e.g. *payer: je paie* or *je paye; je paierai* or *je payerai*).

● Some verbs ending in *-eler, -emer, -ener, -eser, -eter, -ever: se lever*

Present participle	Imperative			Present	Imperfect	Future / Conditional	Present subjunctive	Past historic
levant	lève-toi		je	me lève	me levais	me lèverai / me lèverais	me lève	me levai
	levons-nous		tu	te lèves			te lèves	
	levez-vous		il / elle	se lève			se lève	
Past			nous	nous levons			nous levions	
participle			vous	vous levez			vous leviez	
levé			ils / elles	se lèvent			se lèvent	

● Verbs ending in -cer, -ger: *lancer and manger*

Present participle	Imperative			Present	Imperfect	Future / Conditional	Present subjunctive	Past historic
lançant	lance lançons lancez		je tu il / elle nous vous ils / elles	lance lances lance lançons lancez lancent	lançais lançais lançait lancions lanciez lançaient	lancerai / lancerais	lance	lançai lanças lança lançâmes lançâtes lancèrent
Past participle lancé								
mangeant	mange mangeons mangez		je tu il / elle nous vous ils / elles	mange manges mange mangeons mangez mangent	mangeais mangeais mangeait mangions mangiez mangeaient	mangerai / mangerais	mange	mangeai mangeas mangea mangeâmes mangeâtes mangèrent
Past participle mangé								

Compound tenses

Compound tenses are formed with the auxiliary verbs *avoir* and *être* and the past participle.

● The auxiliary verb: *avoir*

Present participle	Imperative			Present	Imperfect	Future / Conditional	Present subjunctive	Past historic
ayant	aie ayons ayez		je tu il / elle nous vous ils / elles	ai as a avons avez ont	avais avais avait avions aviez avaient	aurai / aurais auras / aurais aura / aurait aurons / aurions aurez / auriez auront / auraient	aie aies ait ayons ayez aient	eus eus eut eûmes eûtes eurent
Past participle eu								

● The auxiliary verb: *être*

Present participle	Imperative			Present	Imperfect	Future / Conditional	Present subjunctive	Past historic
étant	sois soyons soyez		je tu il / elle nous vous ils / elles	suis es est sommes êtes sont	étais étais était étions étiez étaient	serai / serais seras / serais sera / serait serons / serions serez / seriez seront / seraient	sois sois soit soyons soyez soient	fus fus fut fûmes fûtes furent
Past participle été								

● Verbs conjugated with *avoir*: *donner*

	Passé composé	Pluperfect	Future perfect	Past conditional	Perfect subjunctive
je	ai donné	avais donné	aurai donné	aurais donné	aie donné
tu	as donné	avais donné	auras donné	aurais donné	aies donné
il / elle	a donné	avait donné	aura donné	aurait donné	ait donné
nous	avons donné	avions donné	aurons donné	aurions donné	ayons donné
vous	avez donné	aviez donné	aurez donné	auriez donné	ayez donné
ils / elles	ont donné	avaient donné	auront donné	auraient donné	aient donné

● Verbs conjugated with *être*: *entrer*

	Perfect	Pluperfect	Future perfect	Past conditional	Perfect subjunctive
je	suis entré(e)	étais entré(e)	serai entré(e)	serais entré(e)	sois entré(e)
tu	tu es entré(e)	étais entré(e)	seras entré(e)	serais entré(e)	sois entré(e)
il	est entré	était entré	sera entré	serait entré	soit entré
elle	est entrée	était entrée	sera entrée	serait entrée	soit entrée
nous	sommes entré(e)s	étions entré(e)s	serons entré(e)s	serions entré(e)s	soyons entré(e)s
vous	êtes entré(e)s	étiez entré(e)s	serez entré(e)s	seriez entré(e)s	soyez entré(e)s
ils	sont entrés	étaient entrés	seront entrés	seraient entrés	soient entrés
elles	sont entrées	étaient entrées	seront entrées	seraient entrées	soient entrées

The following verbs also form their compound tenses with *être*: *aller, arriver, descendre, monter, mourir, naître, passer* (meaning 'to come/go'), *partir, rester, retourner, sortir, tomber, venir*. Compounds of these tenses (e.g. *devenir*) also take *être* in compound tenses. Remember to include the agreement of the past participle where necessary.

● Reflexive verbs: *se laver*

	Perfect	Pluperfect	Future perfect	Past conditional	Perfect subjunctive
je	me suis lavé(e)	m'étais lavé(e)	me serai lavé(e)	me serais lavé(e)	me sois lavé(e)
tu	t'es lavé(e)	t'étais lavé(e)	te seras lavé(e)	te serais lavé(e)	te sois lavé(e)
il	s'est lavé	s'était lavé	se sera lavé	se serait lavé	se soit lavé
elle	s'est lavée	s'était lavée	se sera lavée	se serait lavée	se soit lavée
nous	nous sommes lavé(e)s	nous étions lavé(e)s	nous serons lavé(e)s	nous serions lavé(e)s	nous soyons lavé(e)s
vous	vous êtes lavé(e)s	vous étiez lavé(e)s	vous serez lavé(e)s	vous seriez lavé(e)s	vous soyez lavé(e)s
ils	se sont lavés	s'étaient lavés	se seront lavés	se seraient lavés	se soient lavés
elles	se sont lavées	s'étaient lavées	se seront lavées	se seraient lavées	se soient lavées

Reflexive verbs always form their compound tenses with *être*. Remember to include the agreement of the past participle where necessary.

Formation of the passive

The passive is formed with *être* in the appropriate tense + past participle which agrees with the subject of the verb.

Present:	Perfect:
je suis convoqué(e)	j'ai été convoqué(e)
Imperfect:	**Pluperfect:**
j'étais convoqué(e)	j'avais été convoqué(e)
Future:	**Future perfect:**
je serai convoqué(e)	j'aurai été convoqué(e)
Conditional:	**Past conditional:**
je serais convoqué(e)	j'aurais été convoqué(e)
Subjunctive:	**Perfect subjunctive:**
je sois convoqué(e)	j'aie été convoqué(e)

Irregular verbs

In the list on the following pages not all forms are given for every tense. It is possible to deduce the forms which are not given from those which are by substituting the appropriate endings.

Infinitive	Present participle	Imperative	Present	Perfect	Future / Conditional	Present subjunctive	Past historic
aller	allant	va allons allez	je vais tu vas il va nous allons vous allez ils vont	je suis allé(e)	j'irai / j'irais	j'aille	j'allai
apercevoir *like* recevoir							
appartenir *like* tenir							
apprendre *like* prendre							
s'asseoir	s'asseyant *or* s'assoyant	assieds-toi *or* assois-toi asseyez-vous	je m'assieds *or* je m'assois il s'assied *or* il s'assoit nous nous asseyons ils s'asseyent	je me suis assis(e)	je m'assiérai *or* je m'assoirai / je m'assiérais *or* je m'assoirais	je m'asseye nous nous asseyions	je m'assis
battre	battant		je bats nous battons	j'ai battu	je battrai / je battrais	je batte	je battis
boire	buvant		je bois nous buvons vous buvez ils boivent	j'ai bu	je boirai / je boirais	je boive nous buvions	je bus
comprendre *like* prendre							
conduire	conduisant		je conduis nous conduisons	j'ai conduit	je conduirai / je conduirais	je conduise	je conduisis
connaître	connaissant		je connais il connaît nous connaissons	j'ai connu	je connaîtrai / je connaîtrais	je connaisse	je connus
consentir *like* sentir							
construire *like* conduire							
convaincre *like* vaincre							
convenir *like* venir							
courir	courant		je cours nous courons	j'ai couru	je courrai / je courrais	je coure	je courus
couvrir *like* ouvrir							
craindre	craignant		je crains nous craignons	j'ai craint	je craindrai / je craindrais	je craigne	je craignis

Infinitive	Present participle	Imperative	Present	Perfect	Future / Conditional	Present subjunctive	Past historic
croire	croyant		je crois nous croyons ils croient	j'ai cru	je croirai / je croirais	je croie nous croyions	je crus
cueillir	cueillant		je cueille nous cueillons	j'ai cueilli	je cueillerai / je cueillerais	je cueille	je cueillis
découvrir *like* ouvrir							
décrire *like* écrire							
détruire *like* conduire							
devenir *like* venir							
devoir	devant		je dois nous devons ils doivent	j'ai dû (*past participle forms*, dû, due, dus, dues)	je devrai / je devrais	je doive	je dus
dire	disant	dis disons dites	je dis nous disons vous dites ils disent	j'ai dit	je dirai / je dirais	je dise	je dis
disparaître *like* connaître							
dormir	dormant		je dors tu dors il dort noud dormons vous dormez ils dorment	j'ai dormi	je dormirai / je dormirais	je dorme	je dormis
écrire	écrivant		j'écris nous écrivons	j'ai écrit	j'écrirai / j'écrirais	j'écrive	j'écrivis
(s')enfuir *like* fuir							
entreprendre *like* prendre							
envoyer	envoyant		j'envoie tu envoies il envoie nous envoyons vous envoyez ils envoient	j'ai envoyé	j'enverrai / j'enverrais	j'envoie	j'envoyai
éteindre *like* peindre							

Infinitive	Present participle	Imperative	Present	Perfect	Future / Conditional	Present subjunctive	Past historic
faire	faisant	fais faisons faites	je fais nous faisons vous faites ils font	j'ai fait	je ferai / je ferais	je fasse nous fassions	je fis
falloir (*impersonal*)	*none*	*none*	il faut	il a fallu (*past participle invariable*)	il faudra / il faudrait	il faille	il fallut
fuir	fuyant		je fuis nous fuyons	j'ai fui	je fuirai / je fuirais	je fuie	je fuis
joindre	joignant		je joins nous joignons	j'ai joint	je joindrai / je joindrais	je joigne	je joignis
lire	lisant		je lis nous lisons	j'ai lu	je lirai / je lirais	je lise	je lus
mentir *like* sentir							
mettre	mettant		je mets nous mettons	j'ai mis	je mettrai / je mettrais	je mette	je mis
mourir	mourant		je meurs nous mourons ils meurent	il est mort	je mourrai / je mourrais	je meure	il mourut
naître	naissant		je nais il naît nous naissons	je suis né(e)	je naîtrai / je naîtrais	je naisse	je naquis
offrir	offrant		j'offre tu offres il offre	j'ai offert	j'offrirai / j'offrirais	j'offre	j'offris
ouvrir	ouvrant	ouvre ouvrons ouvrez	j'ouvre tu ouvres il ouvre nous ouvrons	j'ai ouvert	j'ouvrirai / j'ouvrirais	j'ouvre	j'ouvris
paraître *like* connaître							
partir	partant		je pars nous partons	je suis parti(e)	je partirai / je partirais	je parte	je partis
peindre	peignant		je peins nous peignons	j'ai peint	je peindrai / je peindrais	je peigne	je peignis
permettre *like* mettre							

Infinitive	Present participle	Imperative	Present	Perfect	Future / Conditional	Present subjunctive	Past historic
plaindre *like* craindre							
plaire	plaisant		je plais tu plais il plaît nous plaisons vous plaisez ils plaisent	j'ai plu *(past participle invariable)*	je plairai / je plairais	je plaise	je plus
pleuvoir *(impersonal)*	pleuvant		il pleut ils pleuvent	il a plu *(past participle invariable)*	il pleuvra / il pleuvrait	il pleuve	il plut
poursuivre *like* suivre							
pouvoir	pouvant		je peux (puis-je?) tu peux il peut nous pouvons ils peuvent	j'ai pu *(past participle invariable)*	je pourrai / je pourrais	je puisse nous puissions ils puissent	je pus
prendre	prenant		je prends il prend nous prenons ils prennent	j'ai pris	je prendrai / je prendrais	je prenne nous prenions	je pris
prévoir	prévoyant		je prévois nous prévoyons	j'ai prévu	je prévoirai / je prévoirais	je prévoie	je prévis
promettre *like* mettre							
recevoir	recevant		je reçois nous recevons ils reçoivent	j'ai reçu	je recevrai / je recevrais	je reçoive	je reçus
résoudre	résolvant		je résous il résout nous résolvons ils résolvent	j'ai résolu	je résoudrai / je résoudrais	je résolve	je résolus
rire	riant		je ris nous rions	j'ai ri *(past participle invariable)*	je rirai / je rirais	je rie	je ris
satisfaire *like* faire							
savoir	sachant	sache sachons sachez	je sais nous savons ils savent	j'ai su	je saurai / je saurais	je sache nous sachions	je sus

Infinitive	Present participle	Imperative	Present	Perfect	Future / Conditional	Present subjunctive	Past historic
sentir	sentant		je sens tu sens il sent nous sentons vous sentez ils sentent	j'ai senti	je sentirai / je sentirais	je sente	je sentis
servir	servant		je sers tu sers il sert nous servons vous servez ils servent	j'ai servi	je servirai / je servirais	je serve	je servis
souffrir *like* offrir							
sourire *like* rire							
se souvenir *like* venir							
sortir	sortant		je sors tu sors il sort nous sortons vous sortez ils sortent	je suis sorti(e)	je sortirai / je sortirais	je sorte	je sortis
suffire	suffisant		je suffis	j'ai suffi (*past participle invariable*)	je suffirai / je suffirais	je suffise	je suffis
suivre	suivant		je suis il suit nous suivons	j'ai suivi	je suivrai / je suivrais	je suive	je suivis
taire	taisant		je tais il tait nous taisons	j'ai tu	je tairai / je tairais	je taise	je tus
traduire *like* conduire							
tenir	tenant		je tiens nous tenons ils tiennent	j'ai tenu	je tiendrai / je tiendrais	je tienne	je tins nous tînmes vous tîntes ils tinrent

Infinitive	Present participle	Imperative	Present	Perfect	Future / Conditional	Present subjunctive	Past historic
traire	trayant		je trais tu trais il trait nous trayons vous trayez ils traient	j'ai trait	je trairai/je trairais	je traie nous trayions	*none*
vaincre	vainquant		je vaincs tu vaincs il vainc nous vainquons vous vainquez ils vainquent	j'ai vaincu	je vaincrai / je vaincrais	je vainque	je vainquis
valoir	valant	vaux valons	je vaux il vaut nous valons ils valent	j'ai valu	je vaudrai / je vaudrais	je vaille nous valions ils vaillent	je valus
venir	venant		je viens tu viens il vient nous venons vous venez ils viennent	je suis venu(e)	je viendrai / je viendrais	je vienne tu viennes il vienne nous venions vous veniez ils viennent	je vins tu vins il vint nous vînmes vous vîntes ils vinrent
vivre	vivant		je vis nous vivons	j'ai vécu	je vivrai / je vivrais	je vive	je vécus
voir	voyant		je vois nous voyons ils voient	j'ai vu	je verrai / je verrais	je voie	je vis
vouloir	voulant	veuille veuillez	je veux nous voulons ils veulent	j'ai voulu	je voudrai / je voudrais	je veuille nous voulions ils veuillent	je voulus

Lexique

Only those meanings which occur in the book are listed below.

A

à bâtons rompus, parler to talk about this and that
à l'abri (de) under cover, in a safe place
à la rescousse to the rescue
à merveille marvellously
à part entière a hundred per cent
à portée de within reach of
à propos de about
abattre to knock down
abeille *f.* bee
abonnement *m.* subscription
aboutir to end up
abriter to shelter
accomplir to carry out
accrocher to hook
accroissement *m.* increase
accueillant welcoming
achever to complete
acquérir to acquire
actuel present
adresse *f.* skill
affiche *f.* poster
affirmation *f.* statement
affleurer to show on the surface
agence *f.* **immobilière** estate agent's
agglomération *f.* town, built-up area
agrandir to make bigger
agrandissement *m.* extension
agriculteur *m.* farmer
agro-alimentaire food-producing
aigrement bitterly
ail *m.* garlic
aile *f.* wing
aire *f.* area
aisé comfortably off
ajonc *m.* gorse
alentours *mpl.* surroundings
algues *f.* seaweed
aliment *m.* food
allure *f.* look, appearance
amarrer to moor
améliorer to improve
aménageable suitable for
aménager to equip, convert
amende *f.* fine
amenuiser, s' to diminish
amitié *f.* friendship

ampoule *f.* phial, light bulb
ancré rooted
appartenance *f.* belonging
appartenir to belong
appauvrir to impoverish
appauvrissement *m.* impoverishment
appuyé leaning
arbuste *m.* shrub
ardoise *f.* slate
arrière-pays *m.* hinterland
arroser to celebrate; to water, sprinkle
artisanal pertaining to crafts
artisanat *m.* craft industry, crafts
assister à to attend
assouplir to make supple
atelier *m.* workshop, boatyard
atout *m.* trump card
atteindre to reach
atténuer to tone down
attraper des boutons to come out in a rash, to be irritated
au large de off the coast of
au sein de in the midst of, at the heart of
au-delà de beyond
auberge *f.* inn
auparavant previously
autrefois formerly
autrement dit in other words
avaler to swallow
aveugler to blind
avoir lieu to take place

B

baignade *f.* swim
baladeur *m.* personal stereo
balayer to sweep
balayeur *m.* street sweeper
banlieue *f.* suburb
barder to cover
barque *f.* small boat
bâtiment *m.* **en dur** permanent building
bâtir to build
bâtisseur *m.* builder
bavard talkative
bavardage *m.* chattering
bavarder to chatter
beffroi *m.* belfry
bel et bien well and truly

belge Belgian
berline *f.* truck
bêtises *f.*, **faire des** to be stupid
bien-être *m.* well-being
bienfait *m.* benefit
bilingue bilingual
bise *f.* kiss
blague *f.* joke
blé *m.* **noir** buckwheat
bleuâtre bluish
boîte *f.* **de nuit** night club
bon vivant *m.* fun-loving person
bonhomie *m.* goodnaturedness
bosse *f.* bump
bouche *f.* **bée** open-mouthed, gaping
bouder to stay away
boue *f.* mud
bouger to move
bouilloire *f.* electric kettle
bouillonnement *m.* bubbling
boulot *m.* work
bourdonnement *m.* buzzing
bourg *m.* market town
bourgeon *m.* bud
bourreau *m.* executioner
boutonnière *f.* buttonhole
bovins *mpl.* cattle
branché switched-on
bricoler to do odd jobs
brin *m.* twig
bruire to rustle
bruitage *m.* sound effects
brume *f.* mist
brumeux misty
buanderie *f.* laundry room

C

cachet *m.* style, cachet
cadre *m.* scope; managerial class
cahoter to jolt
caillou *m.* pebble
caissier *m.* cashier
cale *f.* wedge, chock; blocks
caleçon *m.* underpants
caler to wedge
canicule *f.* scorching heat
cannelle *f.* cinnamon
canoéiste *m.* canoeist

caoutchouc *m.* rubber
carburant *m.* fuel
carillon *m.* set/peal of bells
carré *m.* square
carreau *m.* check
carrelage *m.* tiled floor
carrier *m.* quarryman
carte *f.* **d'état-major** Ordnance Survey map
carton *m.* cardboard
célèbre famous
célibataire unmarried
Cène *f.* Last Supper
cèpe *m.* edible mushroom
chaloupe *f.* launch
chantiers *mpl.* **navals** naval dockyards
char *m.* **à voile** wind yacht
charger to load
charron *m.* wheelwright
châtain chestnut colour
château-fort *m.* fort
chauffage *m.* heating
chauffer to heat
chef *m.* **d'orchestre** conductor (musical)
cheminée *f.* fireplace
chêne *m.* oak
chevaleresque knightly
chevalier *m.* knight
chevelure *f.* hair, locks
cheville *f.* ankle
chiffre *m.* **d'affaires** turnover
chirurgien *m.* surgeon
choir to fall
choper to 'nab'
chuchoter to whisper
chute *f.* decline, fall
chuter to fall
ci-joint enclosed
citadin pertaining to town life
citadin *m.* town-dweller
cité *f.* small town
clarté *f.* light
clavier *m.* keyboard
clin *m.* **d'œil** wink
clocher *m.* steeple, church tower
clos unopened
cocher to tick
coiffe *f.* head-dress
col *m.* **bleu** blue-collar worker
coller to stick
combles *mpl.* attic, eaves
comestible *m.* foodstuff
commercial *m.* marketing person
comporter, se to behave
comptable *m.* accountant
concevoir to imagine
concierge *m.* porter
concurrence *f.* competition
confiture *f.* jam
congé *m.* holiday
congélateur *m.* freezer

congeler to deep freeze
conjoncture *f.* economic situation
conquérir to conquer
conquis won over
consacrer to devote
consacrer, se to dedicate
conseiller to advise
conserverie *f.* canning factory
constat *m.* fact
contenu *m.* contents
contourner to skirt around, by-pass
contrainte *f.* constraint
convenablement suitably
convenir to be suitable
coordonnées *fpl.* details
coqueluche *f.* darling, idol
coquillage *m.* shellfish
coquille *f.* shell
coquin mischievous
corbeille *f.* basket
cordage *m.* rope
costaud tough
côte *f.* rib
coteau *m.* hill
côtier *m.* coastal
couche *f.* coat (of paint); stratum
coudre to sew
couloir *m.* corridor
coup *m.* **d'œil** glance
coupe *f.* chalice
courant *m.* **d'air** draught
courbe *f.* curve
courrier *m.* mail
cours *m.* lesson
course *f.* race
couture *f.* sewing
couturier *m.* dressmaking
cracher to spit
créneau *m.* gap in the market
crêpe *f.* pancake
creusement *m.* digging
creuser to dig
creux *m.* hollow
creux des reins small of back
crevette *f.* prawn, shrimp
croisière *f.* cruise
cru *m.* vintage
crustacés *mpl.* shellfish
cueilleuse *f.* picker
cueillir to pick
cuillerée *f.* spoonful
cuisson *f.* cooking
culture *f.* growing
cuve *f.* vat

D

daigner to deign
dalle *f.* paving stone
dans l'ensemble on the whole
davantage more
de même the same

de plus moreover
de pointe high-tech
de rigueur obligatory
de taille *f.* considerable
débarras *m.* junk room
déborder to overflow
débouché *m.* outlet
débrouille *f.* resourcefulness
débroussailler to clear (brushwood)
débuter to start
décalage *m.* discrepancy
décarcasser, se to work one's guts out
déceler to uncover
déchets *mpl.* rubbish
déchirer to tear
déclencher to set off
décontracté cool, laid-back
découverte *f.* discovery
dédain *m.* contempt
défaut *m.* fault
défi *m.* challenge
défilé *m.* procession
dégueulasse lousy, filthy
déguster to taste
délavé faded
demeurer to live, stay
démodé old fashioned
démontable which can be dismantled
démuni destitute
dépasser to exceed, go beyond
dépaysement *m.* disorientation
dépeuplé depopulated
dépistage *m.* detection
dépliant *m.* brochure, pamphlet, leaflet
dérouler, se to take place
dès from
déséquilibre *m.* imbalance
dessin *m.* **animé** cartoon
destiner to intend
détenir le record to hold the record
détromper, se to be mistaken
détruire to destroy
devenir to become
dévoué devoted
difficile à vivre difficult to get on with
direction *f.* management
disponible available
distraire to entertain
domanial belonging to a private estate
données *fpl.* facts, data
doré golden
douceur *f.* gentleness
doux mild (weather)
droit *m.* law
durée *f.* duration

E

éblouir to dazzle
éboueur *m.* refuse collector
ébranler to shake
échantillon *m.* sample

échelle *f.* scale, level
échelon *m.* grade
éclair *m.* lightning
éclairage *m.* lighting
écoper to bale
écorcher to graze
écran *m.* screen
écriteau *m.* notice, sign
écrivain *m.* writer
écrouler, s' to collapse
électroménager electrical, household
élevage *m.* cultivation
éleveur *m.* breeder
élu *m.* elected member
embarcation *f.* craft (boat)
embauchage *m.* hiring, taking on
embellir to beautify
emparer, s' to get hold of
empêcher to prevent
empierré gravel
employé *m.* office worker
emprunter to originate from; to borrow
en baisse going down, falling
en cadence in time
en contrebas below
en direct live (broadcast)
en moyenne on average
en pleine mutation undergoing massive
    change
en prévision de in anticipation of
en provenance de from
en rase motte hedge-hopping
en règle *f.* générale as a general rule
en revanche on the other hand
en-cas *m.* snack
encenser to perfume
endurci confirmed
enfer *m.* hell
enfoncer to drive in, thrust
enfoncer, s' to plunge
engouffrer to swallow, devour
engouement *m.* infatuation, craze
enlaidir to make ugly
ennuyer, s' to be bored
enquête *f.* survey
enregistrement *m.* recording
enseignante *f.* teacher
ensemble *m.* whole, grouping
ensuivre, s' to result
entaille *f.* gash
entorse *f.* sprain
entourer to surround
entrebailler, s' to be half open
entrelacer to intertwine
entreprise *f.* firm
entretenir to maintain
entretien *m.* interview
envahir to invade
envoler, s' to fly past
épais thick
épaule *f.* shoulder
éplucher to peel

époque *f.* epoch
éprouver to experience
érable *m.* maple
ère *f.* era
ériger to put up
escale *f.* port of call
espérance *f.* de vie life expectancy
esprit *m.* mind
esquisse *f.* sketch
esquiver to dodge
essieu *m.* axle
estivant *m.* holiday-maker, summer
    visitor
établi *m.* work-bench
étage *m.* floor (of building)
étang *m.* pond, small lake
étape *f.* stage
étendue *f.* stretch
étoffer to enrich
étoile *f.* star
étourdi absent-minded
être à l'aise to be at one's ease
être bien dans sa peau to feel at ease
être conscient to be aware
être dans le coup to be 'in'
étroitement closely
étude *f.* study period
évier *m.* sink
excédé outraged
exigé required
exploitation *f.* farm
exposition *f.* exhibition
expression *f.* phrase
exprimer to express

F

façade *f.* seaboard (coast)
facturer to bill
faire la fête to live it up
faire cuire to cook
faire les courses *fpl.* to do the shopping
fardeau *m.* burden
farine *f.* flour
fauve *m.* animal
fée *f.* fairy
fente *f.* crack, fissure
féodal feudal
fer *m.* iron
fer à cheval horse shoe
ferroviaire pertaining to railways
fête *f.* foraine fair
fichu ruined
fidèle faithful
fier proud
fièrement proudly
figue *f.* fig
fil *m.* wire
filet *m.* net
flamand Flemish
flamber to go up sharply, blaze
flâner to stroll

flèche *f.* spire
floriculture *f.* flower growing
fond *m.* end, bottom
fondateur *m.* founder
fondre to melt
fonds *mpl.* depths (sea)
forain pertaining to a fair
fossé *m.* ditch
fougères *fpl.* bracken
fouiller to search
fourneau *m.* furnace
fournir to provide
foyer *m.* monoparental one-parent
    household
fracasser to smash
freiner to slow down
frétillant wriggling
friand fond of
friandise *f.* delicacy
friser to border on
friture *f.* small fry
froisser to crease
frôler to come within a hair's breadth
frotter to scrub, rub
fumaison *f.* smoking
fusil *m.* rifle

G

gaillard *m.* strong fellow
galerie *f.* de service service tunnel
galette *f.* buckwheat pancake
gamme *f.* range
gardiennage *m.* caretaking
gare à beware
gaspillage *m.* waste
gêné embarrassed
genêt *m.* broom (plant)
gérant *m.* manager
gérer to manage
gibier *m.* game (hunting)
glissement *m.* sliding
glisser to slip
gluant sticky
goémon *m.* wrack (seaweed)
gonfler to blow up
gorgée *f.* mouthful
goudronné tarred
goulot *m.* neck (bottle)
gourmand greedy
goût *m.* taste
goutte *f.* drop
grâce à thanks to
grange *f.* barn
gratter to scrape
greffer, se to graft on
grêle *f.* hail
grève *f.* strike
grief *m.* grievance
grincer to creak
grisaille *f.* darkness, greyness
grossier rude

grossir   to put on weight
grotte *f.*   cave
guêpe *f.*   wasp
gueule *f.*   mouth (animal)

H

hache *f.*   axe
haïr   to hate
hâlé   tanned
haleine *f.*   breath
hameau *m.*   hamlet
hausse *f.*   increase
havenet *m.*   shrimping net
hébergement *m.*   accommodation
Hexagone *m.*   France
hocher la tête   to nod
homard *m.*   lobster
homologuer   to ratify
horaire *m.*   timetable
hormis   except
hors-taxes   duty free
hôtesse *f.* **d'accueil**   receptionist
hublot *m.*   port-hole
huître *f.*   oyster

I

impair   odd (number)
implanter   to set up
imprimer   to print
imprimerie *f.*   printing, printing works
inaperçu   unexpected
incompris   misunderstood
incroyable   incredible
inculte   uncultivated
indécis   indecisive
indemnité *f.* **communautaire**
    community compensation
informaticien *m.*   computer scientist
informatique *f.*   computer science
ingénierie *f.*   engineering
inonder   to flood
inquiétude *f.*   anxiety
institutrice *f.*   primary school teacher
intendant *m.*   financial administrator
investir   to besiege, invest
itinéraire *m.*   route

J

jalonner   to line
joie *f.* **de vivre**   joy of living
jour *m.* **férié**   public holiday
journalier   daily
jumelles *fpl.*   binoculars

L

lâcher   to release
laid   ugly
laine *f.*   wool
lancer, se   to embark upon

langouste *f.*   crayfish, spiny lobster
langoustier *m.*   crayfish fishing boat
langoustine *f.*   Dublin Bay prawn
largage *m.*   dropping
lave-vaisselle *m.*   washing machine
léger   light
lentille *f.*   lentil; lens
lier   to link
lierre *m.*   ivy
lieu *m.*   place
linge *m.*   linen
lisse   smooth
littoral *m.*   shore
logiciel *m.*   software
loir *m.*   dormouse
longer   to go along
lopin *m.* **de terre**   piece of land
lors de   at the time of
louche *f.*   ladle
loueur *m.*   hirer
loup *m.* **de mer**   sea dog
lourd   heavy
lueur *f.*   gleam
lutter   to fight, struggle

M

maghrébin   from the Maghreb
main *f.* **d'œuvre**   labour force
maïs *m.*   maize
maîtriser   to master
maladie *f.*   illness, disease
maladif   sickly
maladroit   awkward
manche *f.*   round (sport)
Manche *f.*   Channel
manifestation *f.*   demonstration
manne *f.* **nourricière**   staple food
manque *m.*   lack
manquer   to miss, lack
maquereau *m.*   mackerel
marais *m.*   marsh
marché *m.* **aux puces**   flea market
marécageux   marshy
marée *f.*   tide
marraine *f.*   god-mother
marteau *m.*   hammer
massif *m.*   clump of trees
massif boisé   small wood
mat   matt
mât *m.*   mast
matelas *m.*   mattress
mèche *f.*   tuft, lock of hair
mégot *m.*   cigarette end, butt
mélanger   to mix
mener   to lead
mentir   to lie
méridional   southern (France)
merlan *m.*   whiting
merlu *m.*   hake
métairie *f.*   smallholding

métayer *m.*   smallholder
métier *m.*   profession, trade
mettre au point   to settle
mettre en émoi   to excite
mettre en boîte   to can
meubles *mpl.*   furniture
miel *m.*   honey
miette *f.*   crumb
mignon   sweet, cute
mœurs *fpl.*   customs
moindre   smallest, least
moine *m.*   monk
morue *f.*   cod
mot-clé *m.*   key word
moteur *m.* **à explosion**   combustion
    engine
mouillé   wet
moule *f.*   mussel
moulin *m.*   mill
moustique *m.*   mosquito
moutonneux   undulating
mouvementé   turbulent
moyennant   in return for
mulet *m.*   mullet
mur *m.* **du son**   sound barrier
mûr   mature
myope   short-sighted

N

naissance *f.*   birth
nautique   nautical
navette *f.*   shuttle
ne ... guère   hardly
néant *m.*   nothingness
nettoyer   to clean
niveau *m.*   level
nocif   harmful
non-sens *m.*   absurdity
notaire *m.*   notary
nourrisson *m.*   infant

O

obscurcir   to darken
occidental   western
odorat *m.*   sense of smell
œuvres *fpl.*   works
offrande *f.*   offering
oie *f.*   goose
olivier *m.*   olive tree
ondée *f.*   shower
ordinateur *m.*   computer
orner   to decorate
os *m.* **à moelle**   marrow bone
osier *m.*   wicker, willow
outre-manche   other side of Channel
ouverture *f.*   opening
ouvrier *m.*   manual worker
ovin   pertaining to sheep
OVNI *m.*   UFO

P

paille *f.* straw
pair even (number)
palier *m.* landing
pantoufle *f.* slipper
par acquit *m.* **de conscience** quite sure
parc *m.* **à huitres** oyster bed, farm
parcourir to cover (distance)
paresseux lazy
parsemer to scatter
partager to share
particulier *m.* private person
pascal pertaining to Easter
pâte *f.* pastry
pâte feuilletée puff pastry
patiné shiny
patins *mpl.* **à roulettes** roller skates
patrimoine *m.* national heritage
péage *m.* toll
peinture *f.* painting
pencher, se to lean over
péniche *f.* barge
pente *f.* slope
perdreau *m.* young partridge
période *f.* **de pointe** peak period
période creuse off-peak period
personnel *m.* staff
pesant heavy
pesée *f.* weighing
peser to weigh
pétrolier oil
peuplier *m.* poplar
phare *m.* lighthouse
phoque *m.* seal
pie *f.* magpie
pied-noir *m.* ex-colonial (from Algeria)
pierre *f.* stone
piéton *m.* pedestrian
pincée *f.* pinch
pincer, se to pinch
pinède *f.* pine forest
pinson *m.* chaffinch
piqueté studded
piste *f.* track
plaie *f.* wound
plaindre, se to complain
plaisancier *m.* amateur sailor
planche *f.* **à voile** surf board
planter, se to take up
plat *m.* **fin** choice dish
plâtre *m.* plaster
plein à craquer full to bursting point
plier to fold
plutôt rather
pluvieux rainy
poêle *f.* frying pan
poids *m.* weight
poignet *m.* wrist
point *m.* **d'appui** resting-place
point *m.* **de chute** setting-off point
pointe *f.* maximum

poireau *m.* leek
poivre *m.* pepper
poncer to sand
pont *m.* deck, bridge
porion *m.* foreman (mine)
posé level-headed
poubelle *f.* dustbin
pouce *m.* thumb
poumon *m.* lung
pourboire *m.* tip
poursuivre to pursue
pourtour *m.* perimeter
poussière *f.* dust
poussiéreux dusty
poutre *f.* beam
pouvoir *m.* power
prélèvement *m.* removal
prendre d'assaut to take by storm
préséance *f.* precedence
presqu'île *f.* peninsula
pressage *m.* pressing
prêter to attribute
prévisions *fpl.* forecast
prévoir to foresee
prise *f.* catch, taking, capture
privilégier to favour, prefer
procédé *m.* process
prodigue generous
projet *m.* project
pronom *m.* **accentué** emphatic pronoun
propreté *f.* cleanliness
proviseur *m.* head teacher
prunelle *f.* pupil (eye)
puissant powerful
puits *m.* well
pullulant swarming

Q

quant à as for
quasiment almost
quête *f.* quest
quotidien daily

R

racine *f.* root
ramasser to pick up
randonnée *f.* **pédestre** ramble, walk
rangée *f.* row (of trees)
rapatrié *m.* repatriate
rapporter à, se to relate to
rater to miss
rayer erase
rayon radius
réacteur *m.* **d'avion** jet engine
réalisateur *m.* producer
recenser to take a census of
réclamer to ask for, demand
récolte *f.* harvesting
reconnaissant grateful
recueillir, se to meditate

reculer to retreat
récupérer to salvage, recover
recyclage *m.* recycling
rédiger to write, compose
redresser, se to recover
refroidir, se to cool
régime *m.* diet
relier to link, link up
remonter to go back up
remplir to fill
remporter carry off (prize etc.)
remuer to stir
renifler to sniff
renommée *f.* fame
renseignement *m.* information
renseigner, se to find out
rentable profitable
rentrée *f.* start of new academic year
répandre to spread
répartir to divide
répartition *f.* division, sharing
repassage *m.* ironing
repérer to discover, locate
répondeur *m.* answering machine
réseau *m.* network
résidence *f.* **secondaire** second home
ressembler, se to look like
ressentir to feel, experience
ressortir to emerge
retaper to do up (house)
retapisser to repaper (wall)
retraité *m.* retired person
revêtir to put on
rez-de-chaussée *m.* ground floor
ricaner to snigger
rillettes *fpl.* potted meat
rive *f.* bank (river)
romancier *m.* novelist
romarin *m.* rosemary
ronce *f.* bramble
ronflement *m.* snoring
ronronnement *m.* purring
rosée *f.* dew
roue *f.* wheel
rouleau *m.* roller (at sea)
rouleau à gazon garden roller
routier pertaining to roads
royaume *m.* kingdom
rude harsh (climate)
ruissellement *m.* streaming

S

sabot *m.* clog
sac *m.* bag
salaison *f.* salting
salant salt
sang *m.* blood
sans borne *f.* limitless
sans conteste *f.* unquestionably
sapin *m.* fir (tree)
sardinier pertaining to sardines

sarrasin *m.* buckwheat
saupoudrer to sprinkle
sauter to jump over
sauvegarde *f.* preservation
savant *m.* scientist
scolarité *f.* schooling
séance *f.* sitting, session
sèche-cheveux *m.* hair-dryer
sécher to dry
sécheresse *f.* dryness
secouer to shake
secousse *f.* jolt
séduire to charm
seigle *m.* rye
séjour *m.* stay
sens *m.* sense
sentier *m.* path
serre *f.* greenhouse
serrer to pack tight
seuil *m.* level
siècle *m.* century
siffler to whistle
sillon *m.* furrow
sinueux winding
soie *f.* silk
solde *m.* balance
solive *f.* joist
sommelier *m.* wine waiter
sommet *m.* summit, top
sondage *m.* opinion poll, sounding out
sonore pertaining to sound
sorcière *f.* witch
souci *m.* care
soucieux concerned, worried
souffle *m.* breath
souffler to blow
souffrir to suffer
souhaiter to wish
soulever to raise
souligner to underline
souplesse *f.* flexibility
sourire *m.* smile
souterrain *m.* tunnel
sous-peuplé under-populated
soutien *m.* support
stage *m.* work experience
stagiaire *m.* trainee
strié streaked
suinter to ooze
superficie *f.* surface area

supprimer eliminate
sur son 31 all done up (dress)
surélevé raised up
surpêcher to over-fish
surpeuplé over-populated
surplomber dominate

T

tableau *m.* picture (art)
tâche *f.* task, job
taille *f.* waist; size
tailler to cut, prune
talus *m.* bank
tamponneur *m.* bumper (boat)
tantôt ... tantôt ... sometimes ... sometimes.
taon *m.* horsefly
taper fort to beat down
tapis *m.* carpet
tapisserie *f.* wallpaper
tasser, se to bunch up
taupe *f.* mole
taurin pertaining to bulls
taux *m.* **d'intérêt** interest rate
teint *m.* complexion
teinture *f.* **d'iode** iodine
téléphonie *f.* **sans fil** wireless
tellement, pas not too much
témoin *m.* witness
tempe *f.* temple
tendance *f.* trend, tendency
tendu tense
tenter to attempt
tenue *f.* behaviour
terminaison *f.* ending
terrain *m.* land
tertiaire service sector
thon *m.* tuna
thonier *m.* tuna fishing boat
tiers *m.* third
tiers-monde *m.* Third World
tige *f.* stalk
timbale *f.* kettle-drum
tire-bouchon *m.* corkscrew
tirer à chevrotines to fire buckshot
tirer à petit plomb to fire small shot
toge *f.* robe
tondre to cut
tonnerre *m.* thunder
tordu twisted

tournevis *m.* screwdriver
tour *f.* **de guet** watch tower
toutefois anyway
toux *m.* cough
traîner to drag
traitement *m.* **de texte** word-processing
trajet *m.* journey
tranche *f.* **d'âge** age group
tranchée *f.* trench
transat *m.* deck-chair
transpirer to perspire
transports *mpl.* **en commun** public transport
tremper to soak
tresser to plait
tricot *m.* jumper
trier to sort out
trôner to dominate
trottoir *m.* pavement

U

usine *f.* factory
utile useful

V

VTT: vélo *m.* **tout terrain** mountain bike
vague *f.* wave
valoriser to enhance the value of
varech *m.* wrack (seaweed)
vente *f.* sale
vente en détail retail sale
verdir to go green
vérité *f.* truth
vernir to varnish
verrou *m.* bolt
vessie *f.* bladder
vestimentaire of clothing
veuve *f.* widow
vider to empty
villégiature *f.* holiday
viticulteur *m.* wine-grower
vitrage *m.* glazing
vivre en concubinage *m.* to live together (as man and wife)
Voie *f.* **lactée** Milky Way
voire indeed
volant *m.* steering-wheel
volonté *f.* will